突撃
カネオくん
突撃!
カネオくん
お金でみる
都道府県
データ
図鑑
伊藤賀一 監修
NHK『有吉のお金発見
突撃!カネオくん』制作班 協力
宝島社
JN007563

はじめに

“お金にまつわるヒミツ”を掘り下げる！

地域の物産展などに行った際、
「この名産品はどれだけ売れているんだろう」
と考えたことはありませんか？

また、旅行で名所に訪れた際、
「この建物はどれくらいお金がかかっているんだろう」
と疑問に思ったことはありませんか？

インフレが叫ばれる昨今、何かを購入する際、以前より金額を気にするようになった方も多いと思います。そもそも、お金のことを一切気にせず生活している方はほとんどいないはずです。セールやバーゲンは多くの人にとって魅力的な言葉でしょうし、高級なものを手に入れられる機会があればチャレンジしてみたりするものです。

しかし、お金の話はなにか下品な感じがして、なかなか切り出しにくいという方が多いことでしょう。

都道府県の名産品や特産品の売上や産出量は基本的に数量が公表されていますが、金額に関してはあまり詳細が明かされないことが一般的です。同様に、名所の建設費についても「総額いくらかかりました」と前面に押し出されることは滅多にありません。

本書はそんな興味があっても、なかなか聞くことができない都道府県の色々なお金のヒミツをカネオくんと一緒に掘り下げています。

都道府県ごとの名産品や特産品の出荷額や産出額、名所の建設費用、そして有名なイベントの経済効果など、さまざまなお金の話題を紹介しています。

さらに、製造品出荷額や農業産出額などの都道府県ランキングも取り上げ、各都道府県の経済的な位置を一目で把握できるようになっています。

本書でカネオくんと一緒に“お金にまつわるヒミツ”を掘り下げていきましょう。

第1章 北海道・東北地方

第2章 関東地方

第3章 中部地方

第4章 近畿地方

第5章 中国地方

第6章 四国地方

第7章 九州・沖縄地方

登場キャラクター紹介

カネオくん

お金が大好きなリスの妖精。かわいい顔をしながら、聞きにくいお金の話をズバッと聞きだすのが得意。腹黒い話をするときは、頭のがま口が開いて腹黒い顔が現れる。興奮すると、がま口からお金がふきだすことも。

・本書に掲載している情報は、原則として2024年2月現在のものです。
・本書に掲載している統計は公益財団法人矢野恒太記念会『データでみる県勢2024』ほかによります。
・各ページの地図は拡大縮小を行っており、実際の比率とは異なります。
・各種出荷額、産出額、販売額などは公表された年が内容によって異なる場合があります。
・お祭りやイベントの日程は年によって変わることがあります。

第1章
北海道・東北地方

ココ

寒い
地方にはどんな
お金の話が
あるんじゃ
ろうのう

北海道

都道府県基礎金額情報

◉道内総生産（2020年度）

19兆7256億円

◉道民所得（2020年度）

14兆115億円

◉農業産出額（2022年度）

1兆2919億円

◉製造品出荷額等（2022年）

6兆1293億円

◉小売業商品販売額（2022年）

6兆6116億円

◉財政規模（普通会計）（2022年度）

歳入（決算額）

3兆5240億円

歳出（決算額）

3兆4923億円

農業産出額日本一

北海道は農業産出額が全国1位です。2022年の農業産出額は1兆2919億円で、全国の農業産出額の14.8%を占めています。北海道の耕地面積は2022年時点で114万haと全国の4分の1を占め、戸当たり経営耕地面積では33haと都府県平均の約14倍の広さを持ちます。地域によって気候や土地の状態が異なるため、多種多様な農畜産物が生産されています。食料自給率（カロリーベース）が216%なので、消費量とほぼ同等の量を本州などに送ることが可能です。

北海道ランキング上位トピック

冷凍野菜・果実出荷額
245億1000万円（全国1位）

素干・煮干出荷額
140億3000万円（全国1位）

塩干・塩蔵品出荷額
920億6500万円（全国1位）

1世帯あたり（2人以上）のメロン購入金額
2812円（全国2位）

漁業産出額日本一

北海道は漁業産出額も全国1位です。2022年の産出額は3182億円で全国での割合は25.9%。北海道は、日本海、太平洋、オホーツク海とそれぞれ特性の異なる3つの海に囲まれ、周辺海域は、北方に広く展開する大陸棚と、日本海の武蔵堆などの堆を擁しているなど、海底地形は起伏に富んでおり、また道東太平洋沖では黒潮から分かれて北上する暖流と栄養塩に富んだ親潮（寒流）が交錯して潮目がつくられるなど、総じて好漁場となっています。

バターの出荷額全国1位

北海道はバターの出荷額が全国1位です。2021年の年間出荷額は825億2500万円で全国での割合は87.5%。広大な土地はもちろん、夏の涼しい気候が牛の飼育やえさとなる牧草の栽培に適しているため、北海道は酪農が盛んです。全国の生乳のおよそ半分の量が北海道で生産されていますが、大消費地である都府県から距離が離れているため、バターなどの乳製品向けにつくられているほうが多く、北海道産の生乳のうち、飲用牛乳向けは約20%です。

ウイスキーの購入金額全国1位

北海道はウイスキーの年間購入金額が全国1位。全国平均が1世帯あたり2377円に対し、北海道は5273円。北海道の気候や自然環境が世界的なウイスキーの産地であるスコットランドに近いため、北海道はウイスキーづくりに適しています。そのため、北海道は余市蒸留所や厚岸蒸留所など有名な蒸留所が多く存在するウイスキーの一大産地となり、道内での消費も高いのです。ちなみにビールの購入金額も北海道が全国1位です。

青森県

都道府県基礎金額情報

◉県内総生産(2020年度)

4兆4566億円

◉県民所得(2020年度)

3兆2594億円

◉農業産出額(2022年度)

3168億円

◉製造品出荷額等(2022年)

1兆6947億円

◉小売業商品販売額(2022年)

1兆3945億円

◉財政規模(普通会計)(2021年度)

歳入(決算額)

8334億円

歳出(決算額)

8053億円

りんご生産量全国1位

1183億6500万円

青森県のりんご生産量は、全国の生産量73万7100トンのうち約43万9000トンで約60%を占めており、2022年の販売額は1183億6500万円。青森県産りんごの品種別の割合は、「ふじ」が48%、「つがる」が10%、「王林」が10%、「ジョナゴールド」が8%、その他が24%です。また、青森県はりんご生産量のみならず、りんごの栽培面積でも日本一となっています。

青森県ランキング上位トピック

1世帯あたり(2人以上)のりんご年間購入金額
8938円(全国1位)

1世帯あたり(2人以上)のほたて貝年間購入金額
3593円(全国1位)

1世帯あたり(2人以上)のビール年間購入金額
1万4293円(全国2位)

1世帯あたり(2人以上)のウイスキー年間購入金額
4016円(全国2位)

世界最長だった青函トンネル

7455億円

鉄道用の海底トンネルとして世界的に有名な青函トンネルの全長は53.85kmで、青森県と北海道を結んでいます。青函トンネルの建設にかかった費用は、計画段階では5384億円を見込んでいましたが、最終的には7455億円にまで膨れ上がることに。計画段階の1.38倍の建設費が必要になった計算です。建設にかかった期間は24年。なお、2016年にスイスのゴッタルドベーストンネルが開通し、世界最長のトンネルではなくなりました。

ワシも
ねぶたに
なりたいのう

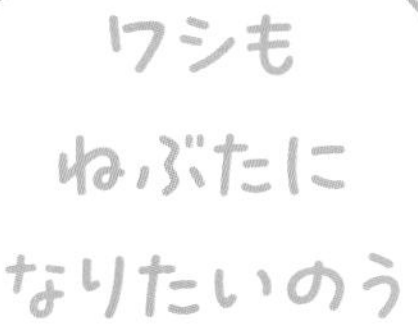

ねぶた祭りの経済効果

ねぶた祭りは東北六大祭りの推計観光消費額(経済効果)では、トップの295億円です。国の重要無形民俗文化財に指定されている青森県の祭りで、ねぶたと呼ばれる巨大な山車とともに、人々がかけ声を上げながら練り歩くさまが人気です。日程は8月初旬の2日〜7日に行われ、最終日にはねぶたの海上運行が見られます。なお、第2位は、仙台の七夕まつりで207億円、第3位は盛岡のさんさ踊りで94億円です。

にんにくの出荷量全国1位

青森県はにんにくの出荷量も日本第1位。青森県産にんにくの産出額は、加工品を中心として付加価値をつけた形で販売されていることが多く、売上高は2021年には207億円に到達しています。令和3年に生産されたにんにくの出荷量は9610トンで、国内出荷量(約1万4000トン)の約7割を占めています。田子町を中心とする青森県産のにんにくで有名なブランドとしては、「福地ホワイト六片」などが挙げられます。

岩手県

都道府県基礎金額情報

◉県内総生産（2020年度）

4兆7474億円

◉県民所得（2020年度）

3兆2272億円

◉農業産出額（2022年度）

2660億円

◉製造品出荷額等（2022年）

2兆7133億円

◉小売業商品販売額（2022年）

1兆2920億円

◉財政規模（普通会計）（2021年度）

歳入（決算額）

9970億円

歳出（決算額）

9395億円

あわびの漁獲量全国1位

岩手県は、あわびの生産量が2020年に119トンを記録し、全国で第1位となっています。2022年度の天然あわびの売上高は4838万円。一般的に他県産のあわびのほとんどは夏に旬を迎えますが、岩手県に生息するあわびである「エゾアワビ」は、11月から12月にかけてが旬。エゾアワビは、岩手県沿岸部の昆布やわかめなどの海藻が豊富に生い茂っている場所で育つため肉が厚く、歯ごたえもよいことで知られています。

岩手県ランキング 上位トピック

りんどう産出額
20億円(全国1位)

葉たばこ産出額
34億円(全国3位)

ブロイラー産出額
621億円(全国3位)

1世帯あたり(2人以上)のほたて貝年間購入金額
1891円(全国3位)

盛岡さんさ踊りの経済効果

岩手県にも東北六大祭りのひとつ、「盛岡さんさ踊り」があります。さんさ踊りが岩手県にもたらす経済効果は、宮城県にある銀行のグループがまとめた「推計観光消費」によると、94億円(2023年度)でした。動員客数は113万8000人で、青森県のねぶた祭り、仙台の七夕まつりに次いで第3位です。さんさ踊りは、盛岡市内の目抜き通りで毎年8月上旬の4日間にわたって行われる祭りで、踊り手、笛、太鼓あわせて約2万人の群舞が見所です。

中華麺年間購入額全国1位

岩手県盛岡市は、「中華麺」の購入額が全国1位で、1世帯あたり6540円。2022年に実施された家計調査における品目別購入額(2人以上世帯)で発表されました。家計調査は、都道府県庁所在地と政令指定都市を対象とした調査です。全国平均である4556円に大きく差をつけています。その他、盛岡市は「みそ」、「つゆ・たれ」の品目別購入額(2人以上世帯)でも全国で上位になっています。

ゼリーの年間購入額全国1位

岩手県は、2022年の「ゼリー」の年間購入額も全国1位でした。年間購入額の全国平均が1世帯あたり2028円に対して、岩手県の平均は3184円と大きく差が開いています。ゼリーの年間購入額は、第2位が秋田市の2598円、第3位が仙台市の2482円と続き、最下位は那覇市で年間購入額は1世帯あたり1451円でした。盛岡市民のゼリー好きは圧倒的なのです。

宮城県

都道府県基礎金額情報

◉県内総生産（2021年度）

9兆4641億円

◉県民所得（2021年度）

6兆5619億円

◉農業産出額（2022年度）

1737億円

◉製造品出荷額等（2022年）

5兆34億円

◉小売業商品販売額（2022年）

2兆8240億円

◉財政規模（普通会計）（2021年度）

歳入（決算額）

1兆3332億円

歳出（決算額）

1兆2734億円

カジキ類の漁獲量全国1位

宮城県は、カジキ類の漁獲量が全国1位です。カジキ類とは、マカジキ、メカジキ、クロカジキ、その他のカジキ類を合わせた総称で、漁獲量はそれらの合計を表わしています。宮城県のカジキ類の年間産出額は25億9700万円で、全国の総漁獲量のうち約35%を占めています。水揚げされるのは、約9割が気仙沼港で、カジキ類の漁期は基本的には通年ですが、10月から3月にかけて秋冬の時期に良質なカジキ類が獲れます。

宮城県ランキング 上位トピック

養殖ぎんざけ産出額
88億7900万円（全国1位）

パプリカ産出額
13億円（全国1位）

1世帯あたり（2人以上）のかまぼこ年間購入金額
8170円（全国1位）

まぐろ類産出額
170億4800万円（全国2位）

養殖わかめ産出量全国1位

54億
9300万円

宮城県は、養殖わかめの産出量も全国1位です。2023年の販売価格は54億9300万円で、平均単価は1kgあたり266円でした。養殖わかめの全国生産量のうち、約40%近くを宮城県産が占めていることになります。有名なわかめの品種は「三陸わかめ」ですが、2023年度は高海水温と栄養塩不足によって水揚げ量が伸び悩み、前年比6%減の2億646万トン（過去最低水準）に落ち込んでしまいました。

宮城の人はフカヒレ食べ放題なんかぁ？

サメ類の漁獲量全国1位

宮城県は、サメ類の漁獲量が全国1位です。産出額は16億5600万円で、全国の漁獲量の約50.7%を占めています。宮城県のサメの漁獲量の約5割を占めているのが、気仙沼港で水揚げされる「ヨシキリザメ」と「ネズミザメ」。気仙沼は、江戸時代からフカヒレ製造を行ってきた歴史を持ち、フカヒレの生産量で日本一を誇っています。また、フカヒレ以外にもサメ肉を使ったジャーキー、ナゲットなどの商品も開発されています。

ひとめぼれで有名な米どころ

宮城県は、米の産出額で全国第5位です。2023年の産出額は、46億2000万円でした。日本全国の米の産出額は、2022年で1兆3946億円にも上ります。宮城県の米といえば、「ひとめぼれ」が有名ブランドとして全国にその名が知れ渡っています。ひとめぼれは、1980年代にコシヒカリと初星の交配によって生まれた品種で、冷害にきわめて強いという特徴とコシヒカリ由来のおいしさを兼ね備えています。

秋田県

都道府県基礎金額情報

◉県内総生産（2020年度）

3兆5305億円

◉県民所得（2020年度）

2兆4782億円

◉農業産出額（2022年度）

1670億円

◉製造品出荷額等（2022年）

1兆4057億円

◉小売業商品販売額（2022年）

1兆504億円

◉財政規模（普通会計）（2022年度）

歳入（決算額）

6746億円

歳出（決算額）

6564億円

秋田犬は海外でも人気上昇中

秋田県といえば、「秋田犬」が有名です。秋田犬をテーマにした観光地経営組織「秋田犬ツーリズム」は、2016年の発足から2019年までの3年間に同組織の活動が地域経済に与えた影響を推計しました。それによると、秋田犬ツーリズムは、3年間で41億2500万円の経済波及効果と、473人の雇用創出効果があったとされています。海外でも忠犬ハチ公の映画が公開されたこともあり、その犬種である秋田犬は世界的に人気です。

秋田県ランキング上位トピック

1世帯あたり(2人以上)のかれい年間購入金額
2232円(全国2位)

1世帯あたり(2人以上)のさやまめ年間購入金額
3711円(全国2位)

米産出額
852億円(全国3位)

ハタハタ産出額
2億9900万円(全国3位)

だいこん漬購入金額全国1位

秋田県は、だいこん漬の年間購入金額が1504円で全国1位です。秋田県といえば、内陸南部地方でつくられている名産品「いぶりがっこ」。いぶりがっことは、だいこん漬の燻製のこと。たくあんとは違い、日照時間の少ない秋田県では戸外で十分な天日干しができないために、囲炉裏の熱や煙を使った燻製が行われるようになったのが起源だとされています。

乾うどん・そば購入金額全国1位

生うどん・そばの年間購入額の第1位は、うどん県として知られる香川県ですが、乾うどん・そばの年間購入額の第1位は秋田県です。1世帯あたりの年間購入額は4397円で、全国平均が2258円であることを踏まえると、圧倒的な差です。秋田県での乾うどん・そばの売上に貢献していると考えられているのが、秋田名産の「稲庭うどん」。稲庭うどんは、ひやむぎより太く、平たい断面を持つ細いうどん麺で知られています。

ダリアの栽培面積日本一

秋田県は、花の品種である「ダリア」の栽培面積でも第1位で、生産額は約1億600万円(2019年度)となっています。秋田県は、県におけるダリア生産を拡大するために、オリジナル品種「NAMAHAGEダリア」を開発し、その生産から販売にいたるまでをバックアップしています。NAMAHAGEダリアは、世界的に有名なダリア育種家と県が共同開発したもので、非常に高品質なダリアであることで知られています。

山形県

都道府県基礎金額情報

◉県内総生産(2020年度)

4兆2842億円

◉県民所得(2020年度)

3兆363億円

◉農業産出額(2022年度)

2394億円

◉製造品出荷額等(2022年)

3兆239億円

◉小売業商品販売額(2022年)

1兆1731億円

◉財政規模(普通会計)(2022年度)

歳入(決算額)

7374億円

歳出(決算額)

7246億円

カネオクイズ

炭酸飲料の年間消費金額が全国1位の山形県。その理由のひとつに炭酸飲料の売り方があるとされています。それはなんでしょう?

外食ラーメン消費額全国1位

1万3096円

2022年に総務省が発表した家計調査によると、外食のラーメン(中華そば)の世帯あたり支出額は、山形市が全国1位でした。山形市のラーメンへの支出額は1万3096円で、2位の新潟市の1万2562円に534円の差を付けました。山形には、出前のラーメンで来客をもてなす慣習があること、夏場でも消費が落ちにくい「冷やしラーメン」という種類があることなどが、山形のラーメン消費の高さを支えていると考えられています。

山形県ランキング上位トピック

西洋なし産出額
66億円(全国1位)

1世帯あたり(2人以上)のさといも年間購入金額
1997円(全国1位)

1世帯あたり(2人以上)のたけのこ年間購入金額
1452円(全国1位)

1世帯あたり(2人以上)の塩さけ年間購入金額
4038円(全国3位)

和牛ブランド「米沢牛」の力

9344万1719円

山形県といえば、「米沢牛」もよく知られています。山形県米沢市で生産されている米沢牛は、ブランド牛としての評価が高く、全国的に人気があります。2023年の販売金額は、9344万1719円で、kgあたりの平均単価は2940円でした。米沢牛にはいくつかの定義があり、黒毛和種の未経産雌牛で、生後月齢32ケ月以上、3等級以上の外観並びに肉質及び脂質が優れているなどの条件を満たさなければ、米沢牛と認められません。

こんにゃく年間購入額全国1位

山形県は、こんにゃくの年間購入額も全国1位です。全国平均が1世帯あたり1722円に対して、山形県は3311円と大きく差をつけています。これは山形の家庭では年間約10kgものこんにゃくを食べていることを意味します。山形におけるこんにゃく消費量が多い理由は、山形名物である「玉こんにゃく」によるところが大きいと考えられています。玉こんにゃくは直径3cmほどの球状のこんにゃくで、県内各地で売られ、愛されています。

正解 炭酸飲料を箱売りしている店舗が多い

山形県は、炭酸飲料の年間消費金額も全国1位です。全国平均が年間7024円であるのに対し、山形県は年間1万83円でした(2022年度)。山形市では、炭酸飲料を箱で販売している店舗が多く、そのため箱買いをする消費者が多いことが理由ではないかと考えられています。また、山形は自動車の世帯保有台数も全国で上位であるため、スーパーなどに車で来て箱で炭酸飲料をまとめ買いする人が多いのでしょう。

福島県

都道府県基礎金額情報

◉県内総生産（2020年度）

7兆8286億円

◉県民所得（2020年度）

5兆1929億円

◉農業産出額（2022年度）

1970億円

◉製造品出荷額等（2022年）

5兆1627億円

◉小売業商品販売額（2022年）

2兆964億円

◉財政規模（普通会計）（2021年度）

歳入（決算額）

1兆5357億円

歳出（決算額）

1兆4762億円

ももの販売額全国1位

福島県は、ももの販売額が全国1位で、2023年度の販売額は73億円超です。生産量は第1位ではないですが、10aあたりの収穫量は約1500kgもあります。平均単価は1kgあたり588円で、福島第一原発事故の風評被害から回復しつつあることから、近年では上昇しています。福島県のももには、白鳳と白桃の交配によって生まれた「あかつき」や、福島オリジナルの「はつひめ」などの品種があり、晩成種である「ゆうぞら」も人気です。

福島県ランキング上位トピック

1世帯あたり(2人以上)のヨーグルト年間購入金額
1万7005円(全国1位)

1世帯あたり(2人以上)の卵年間購入金額
1万2258円(全国1位)

漆器製台所・食卓用品出荷額
16億3300万円(全国2位)

1世帯あたり(2人以上)のかつお年間購入金額
3151円(全国2位)

航空宇宙産業が盛んな福島

福島県は、航空宇宙産業が盛んであり、航空機用エンジンの部品・取付具・付属品の出荷額が全国第2位となっています。出荷額は、年間2189億4400万円にも上ります。福島県に航空宇宙産業が定着し始めたのは1998年頃です。2010年に地球へ帰還した小惑星探査機「はやぶさ」や、その後継機の製造に関わった企業や団体が福島県には多く存在しています。

ももの年間購入額も全国1位

福島県は、ももの年間販売額だけでなく、ももの年間購入額も日本1位です。全国平均が1062円であるのに対し、福島県の年間購入額は7256円と7倍近いももが買われています。消費量ベースで見ると、1世帯あたり8kg以上を消費していることになります。福島県は、ももを生産するだけでなく県民がももを好んで食べているわけです。主な産地は福島市や伊達市などの盆地で、夏の日射量が多いことからももの生育に適しています。

まんじゅうの年間購入額全国1位

福島県は、まんじゅうの年間購入額が全国1位です。全国平均は、1世帯あたり863円であるのに対して、福島県は2041円にも上り、2倍以上もまんじゅうを消費しているのです。なぜ、福島県ではまんじゅうの購入額が多いのかというと、地元民が選ぶおみやげとしてまんじゅうが選ばれることが多いからだとされています。また、福島県は日本三大まんじゅうの1つ「薄皮饅頭」という名物でも知られています。

47都道府県ランキング①

①位　東京都　109兆6016億円

②位　大阪府　39兆7203億円

③位　愛知県　39兆6593億円

順位	都道府県	県内総生産	順位	都道府県	県内総生産
4位	神奈川県	33兆9055億円	26位	鹿児島県	5兆6103億円
5位	埼玉県	22兆9226億円	27位	愛媛県	4兆8275億円
6位	兵庫県	21兆7359億円	28位	岩手県	4兆7474億円
7位	千葉県	20兆7756億円	29位	富山県	4兆7299億円
8位	北海道	19兆7256億円	30位	長崎県	4兆5387億円
9位	福岡県	18兆8869億円	31位	石川県	4兆5277億円
10位	静岡県	17兆1052億円	32位	大分県	4兆4580億円
11位	茨城県	13兆7713億円	33位	青森県	4兆4566億円
12位	広島県	11兆5554億円	34位	山形県	4兆2842億円
13位	京都府	10兆1680億円	35位	沖縄県	4兆2609億円
14位	宮城県	9兆4852億円	36位	香川県	3兆7344億円
15位	栃木県	8兆9465億円	37位	奈良県	3兆6859億円
16位	新潟県	8兆8575億円	38位	和歌山県	3兆6251億円
17位	群馬県	8兆6535億円	39位	宮崎県	3兆6025億円
18位	三重県	8兆2731億円	40位	福井県	3兆5711億円
19位	長野県	8兆2141億円	41位	山梨県	3兆5527億円
20位	福島県	7兆8286億円	42位	秋田県	3兆5305億円
21位	岐阜県	7兆6630億円	43位	徳島県	3兆1852億円
22位	岡山県	7兆6064億円	44位	佐賀県	3兆459億円
23位	滋賀県	6兆7397億円	45位	島根県	2兆5757億円
24位	山口県	6兆1481億円	46位	高知県	2兆3543億円
25位	熊本県	6兆1051億円	47位	鳥取県	1兆8199億円

※北海道、東京都、京都府、大阪府を含む

出典：内閣府「2020年度県民経済計算」より作成

県民所得

①位　東京都　73兆2495億円

②位　神奈川県　27兆3544億円

③位　愛知県　25兆8575億円

順位	都道府県	県民所得	順位	都道府県	県民所得
4位	大阪府	25兆76億円	26位	鹿児島県	3兆8247億円
5位	埼玉県	21兆2284億円	27位	奈良県	3兆3127億円
6位	千葉県	18兆7749億円	28位	愛媛県	3兆2979億円
7位	兵庫県	15兆7751億円	29位	青森県	3兆2594億円
8位	北海道	14兆115億円	30位	長崎県	3兆2589億円
9位	福岡県	13兆5049億円	31位	富山県	3兆2286億円
10位	静岡県	11兆2985億円	32位	岩手県	3兆2272億円
11位	茨城県	8兆8823億円	33位	沖縄県	3兆1799億円
12位	広島県	8兆3122億円	34位	石川県	3兆1375億円
13位	京都府	7兆772億円	35位	山形県	3兆363億円
14位	宮城県	6兆4521億円	36位	大分県	2兆9264億円
15位	新潟県	6兆1283億円	37位	香川県	2兆6288億円
16位	栃木県	6兆545億円	38位	和歌山県	2兆5384億円
17位	長野県	5兆7104億円	39位	秋田県	2兆4782億円
18位	群馬県	5兆6954億円	40位	宮崎県	2兆4483億円
19位	岐阜県	5兆6886億円	41位	福井県	2兆4405億円
20位	三重県	5兆2195億円	42位	山梨県	2兆4154億円
21位	福島県	5兆1929億円	43位	徳島県	2兆1680億円
22位	岡山県	5兆332億円	44位	佐賀県	2兆898億円
23位	滋賀県	4兆3786億円	45位	島根県	1兆8577億円
24位	熊本県	4兆3416億円	46位	高知県	1兆7229億円
25位	山口県	3兆9731億円	47位	鳥取県	1兆2803億円

※北海道、東京都、京都府、大阪府を含む

出典：内閣府「2020年度県民経済計算」より作成

1人あたりの県民所得

①位　東京都　521万4000円

②位　愛知県　342万8000円

③位　福井県　318万2000円

順位	都道府県	県民所得
4位	栃木県	313万2000円
5位	富山県	312万円
6位	静岡県	311万円
7位	茨城県	309万8000円
8位	滋賀県	309万7000円
9位	徳島県	301万3000円
10位	千葉県	298万8000円
11位	山梨県	298万2000円
12位	広島県	296万9000円
13位	神奈川県	296万1000円
14位	山口県	296万円
15位	三重県	294万8000円
16位	群馬県	293万7000円
17位	埼玉県	289万円
18位	兵庫県	288万7000円
19位	岐阜県	287万5000円
20位	山形県	284万3000円
21位	福島県	283万3000円
22位	大阪府	283万円
23位	宮城県	280万3000円
24位	長野県	278万8000円
25位	新潟県	278万4000円
26位	石川県	277万円
27位	島根県	276万8000円
28位	香川県	276万6000円
29位	和歌山県	275万1000円
30位	京都府	274万5000円
31位	北海道	268万2000円
32位	岩手県	266万6000円
33位	岡山県	266万5000円
34位	青森県	263万3000円
35位	福岡県	263万円
36位	大分県	260万4000円
37位	秋田県	258万3000円
38位	佐賀県	257万5000円
39位	奈良県	250万1000円
40位	熊本県	249万8000円
41位	高知県	249万1000円
42位	長崎県	248万3000円
43位	愛媛県	247万1000円
44位	鹿児島県	240万8000円
45位	鳥取県	231万3000円
46位	宮崎県	228万9000円
47位	沖縄県	216万7000円

※北海道、東京都、京都府、大阪府を含む

出典：内閣府「2020年度県民経済計算」より作成

第2章 関東地方

茨城県

都道府県基礎金額情報

◉県内総生産（2020年度）

13兆7713億円

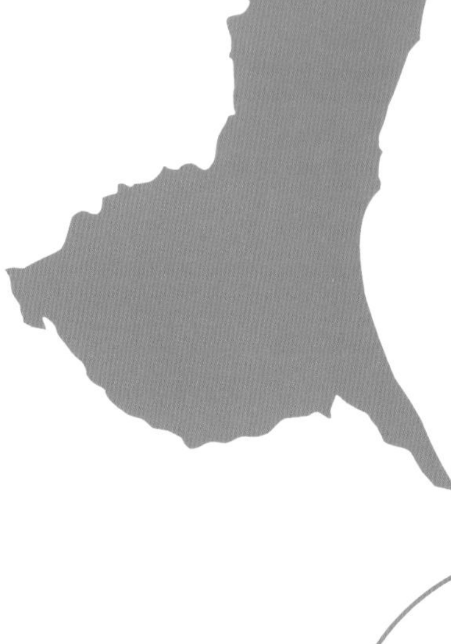

◉県民所得（2020年度）

8兆8823億円

◉農業産出額（2022年度）

4409億円

◉製造品出荷額等（2022年）

13兆6869億円

◉小売業商品販売額（2022年）

3兆138億円

◉財政規模（普通会計）（2022年度）

歳入（決算額）

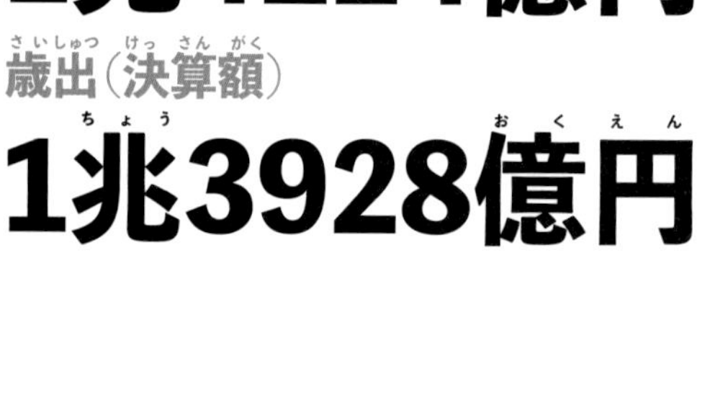

1兆4224億円

歳出（決算額）

1兆3928億円

卵の産出量日本一

茨城県は、鶏卵の産出額が全国1位です。年間548億円もの売上をあげており、全国産出額の中に占める割合は9.6%にも上ります(2022年度)。特に、茨城県小美玉市は、鶏卵産出額日本一を誇る産地で、市内には数多くの養鶏場が点在し、多様な種類の卵が生産、出荷されています。小美玉市の一日の出荷量は、約350万個ともいわれ、茨城県民の数(約284万人)よりも多くの卵が生産されている計算になります。

茨城県ランキング上位トピック

乳飲料、乳酸菌飲料出荷額
358億円(全国1位)

ビール出荷額
1007億円(全国1位)

半導体・IC測定器出荷額
879億4300万円(全国1位)

れんこん産出額
81億円(全国1位)

メロン出荷量・産出額全国1位

130
億円

茨城県は、メロンの出荷量及び産出額も全国1位です。2022年度の出荷量は3万1700トンにも及び、産出額は130億円でした。茨城県のメロン生産は昭和30年代に「プリンス」メロンが導入されてから次第に盛んになり、また50年代には「アンデス」メロンが栽培されるようになったことで、さらにメロンの出荷量が拡大することになりました。鉾田市を主要産地とする茨城県のメロンは、4～10月にかけて豊富な品種が収穫され、全国に届けられています。

茨城では
メロンが気軽に
食べれるんかぁ?

メロンの年間購入額も全国1位

茨城県は、メロンの出荷量・産出額のみならず、年間購入額も全国1位です。全国平均が1世帯あたり年間991円であるのに対し、茨城県の水戸市は3669円にも上ります。第2位は北海道の札幌市、第3位は秋田県の秋田市と続きます(2020年度)。茨城県で生産されているメロンの品種には、「イバラキング」、「オトメ」、「アンデス」、「クインシー」、「タカミ」、「アールス」などがあります。

栗の生産量・産出額全国1位

茨城県は、栗の生産量と産出額でも全国1位です。2022年の出荷量は3,670トンで、産出額は20億円にも上りました。茨城県で栗の栽培が始まったのは明治30年頃とされ、令和4年には栗の栽培面積が3190haになるほど長い年月をかけて普及してきました。茨城県には、昼夜の寒暖差が大きい栗の栽培に適した気候があること、栗が育ちやすい土壌があることなどが全国1位の栗の生産を支えています。

栃木県

都道府県基礎金額情報

◉県内総生産（2020年度）

8兆9465億円

◉県民所得（2020年度）

6兆545億円

◉農業産出額（2022年度）

2718億円

◉製造品出荷額等（2022年）

8兆5761億円

◉小売業商品販売額（2022年）

2兆2681億円

◉財政規模（普通会計）（2021年度）

歳入（決算額）

1兆960億円

歳出（決算額）

1兆712億円

X線装置の出荷額全国1位

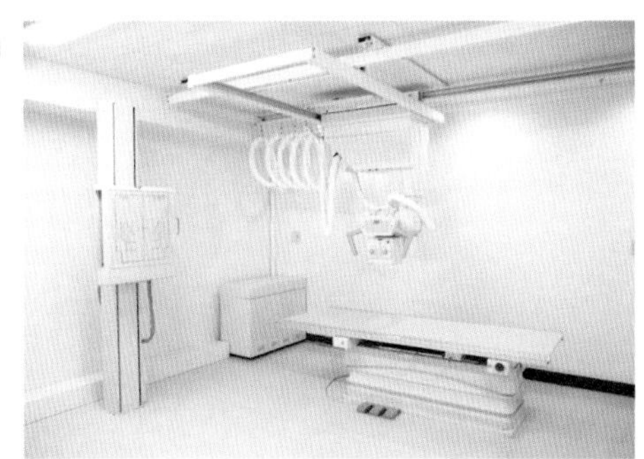

栃木県は医療用X線装置の出荷額が全国1位で、9億2877万円にも上っています。栃木県には大手企業や高い技術力を持つ中小企業が集まっており、大田原市や宇都宮市などには医療機器製造メーカーが拠点を置いています。製造品出荷額等は2020年時点で全国第12位、医療用X線装置は全国の出荷額の57%のシェアを占めており、栃木県が医療機器に強いことがわかります。

栃木県ランキング 上位トピック

プラスチック製靴出荷額
126億8300万円(全国1位)

砕石出荷額
226億6900万円(全国1位)

1世帯あたり(2人以上)の茶飲料年間購入金額
1万1431円(全国1位)

乳用牛産出額
465億円(全国2位)

いちごの生産量・販売額全国1位

266億
3800万円

栃木県は、いちごの生産量と販売額において全国1位です。2023年度のいちごの出荷量は、2万920トンで、販売金額は266億3800万円でした。そのうち品種別では、「とちあいか」が出荷量6603トンで販売金額が84億1400万円、「とちおとめ」が出荷量1万3114トンで販売金額が166億4500万円、「スカイベリー」が出荷量1203トンで販売金額が15億7800万円でした。栃木県は29年間連続でいちごの生産量及び販売額第1位を守り続けています。

かんぴょうの収穫量全国1位

栃木県はかんぴょうの収穫量が全国1位。2020年の収穫量は209トンで産出額は6億円です。全国シェアは99.5%なので、ほぼすべての国産かんぴょうは栃木県産なのです。かんぴょうはウリ科の植物であるユウガオの果肉を薄く細長くむいて乾燥させたもの。栃木県にかんぴょうが入ってきたといわれているのは1712年なので、300年以上の歴史があることになります。2012年には「とちぎ・かんぴょう伝来300年記念大会」という催しも開催されました。

宇都宮といえば餃子

2022年の家計調査では、栃木県宇都宮市の餃子の年間購入額は1世帯あたり3529円で、全国第3位でした。2010年までは全国1位だった栃木でしたが、以後は宮崎市に抜かれてしまいました。宇都宮といえば、餃子のまちとして知られ、「宇都宮餃子」が有名。他の地域でつくられている餃子と比べると白菜やキャベツといった野菜が多く使われている反面、ニンニクは少なめという特徴があります。

群馬県

都道府県基礎金額情報

◉県内総生産（2020年度）

8兆6535億円

◉県民所得（2020年度）

5兆6954億円

◉農業産出額（2022年度）

2473億円

◉製造品出荷額等（2022年）

8兆3831億円

◉小売業商品販売額（2022年）

2兆1716億円

◉財政規模（普通会計）（2022年度）

歳入（決算額）

9042億円

歳出（決算額）

8592億円

群馬県にある下久保ダムはあることで日本一です。それはなんでしょう？

こんにゃくいも収穫量全国1位

群馬県は、こんにゃくの原料であるこんにゃくいもの収穫量が全国1位で、こんにゃくいもを含む工芸農作物の産出額は69億円でした(2022年度)。全国のこんにゃくいもの生産量のうち、約97%を群馬県が占めています。こんにゃくいもは、サトイモ科の植物の球茎で、芋の形から「象の足」とも呼ばれます。こんにゃくいもは、すりつぶしたところにたっぷりの水を含ませて糊状にし、アルカリ性の灰汁を加えるとこんにゃくになります。

群馬県ランキング上位トピック

キャベツ産出額
156億円(全国2位)

みそ(粉みそを含む)出荷額
136億9000万円(全国2位)

アイスクリーム出荷額
547億3300万円(全国2位)

半導体・IC測定器出荷額
673億5000万円(全国2位)

豆腐の出荷額全国1位

309
億円

群馬県は、豆腐の出荷額が全国1位です。2021年度の出荷額は309億円でした(ただし、豆腐の原料である大豆の生産量では47都道府県中31位)。群馬県には、大手豆腐製造メーカーが存在していることが理由です。中には、2009年には年商104億円を突破し、日本の豆腐業界シェア1位を獲得した企業もあります。

ボールペン出荷額全国1位

群馬県は、ボールペンの出荷額が全国1位です。2022年度の出荷額は170億円でした。群馬県のボールペン出荷数を支えているのは、県内に多く存在する文房具メーカーの存在。特に、藤岡市の工場からは全国の文房具店に膨大な数のボールペンが日々出荷されています。中には毎年1億本以上も売れているほどの大ヒット商品も群馬県の工場で製造されています。

正解 重力式コンクリートダムの中で日本一の長さ

群馬県にある下久保ダムは、重力式コンクリートダムとしては日本一の長さを誇ります。堤体の長さは605mで、総事業費は約200億円でした。堤体積は134万5000㎥で、一級河川である利根川水系神流川に建設されています。ダムの規模としては利根川の矢木沢ダムに次ぐ規模を誇ります。1947年に関東地方を襲ったカスリーン台風の水害をきっかけに建設が計画され、1959年に着工、1968年に竣工しました。

埼玉県

都道府県基礎金額情報

◉県内総生産（2020年度）

22兆9226億円

◉県民所得（2020年度）

21兆2284億円

◉農業産出額（2022年度）

1545億円

◉製造品出荷額等（2022年）

14兆2540億円

◉小売業商品販売額（2022年）

7兆2355億円

◉財政規模（普通会計）（2021年度）

歳入（決算額）

2兆3916億円

歳出（決算額）

2兆3442億円

年間教育費全国1位

埼玉県は、年間教育費が全国1位です。全国平均は2人以上世帯で13万7262円であるのに対して、埼玉県は33万5521円でした。この年間教育費とは、幼稚園(3歳以上の保育園含む)から大学卒業までに1年間にかかる教育費の平均額のこと。ちなみに、教育費とは、授業料等の他に教科書・学習参考教材費、補習教育に伴う支出(学習塾・予備校の費用)、習い事の月謝、学校給食費、制服代、通学定期代などを含みます。

埼玉県ランキング上位トピック

ねぎ産出額
141億円(全国1位)

ほうれんそう産出額
79億円(全国1位)

さといも産出額
45億円(全国1位)

チョコレート類出荷額
1023億1700万円(全国1位)

和風めん出荷額全国1位

埼玉県は、うどんなどの「和風めん」の出荷額が全国1位です。年間の出荷額は318億円で、うどん県として知られる香川県よりも出荷額では上回っています。ちなみに和風めんとは、うどん、きしめん、そば、そうめん等の総称。埼玉は、長い日照時間を活かした小麦栽培が江戸時代から盛んだったため、うどんを食べる習慣が定着していたことが、現在の和風めん出荷額の礎となっています。埼玉では熊谷うどん、加須うどんなどが有名です。

アイスクリーム出荷額全国1位

埼玉県は、アイスクリームの出荷額でも全国1位です。年間出荷額は、1477億2300万円で、全国のアイスクリームのシェアのうち32.9%を占めています。埼玉県には、もともとお菓子系の工場が多く、「その他の菓子」の生産量も第1位を取るほどで、「洋生菓子」、「チョコレート」などの生産量も全国上位に食い込んでいます。埼玉は、大消費圏である東京に隣接しているという地理的な理由で、そういった食品系の工場が数多く存在しているのです。

ひな人形の出荷額全国1位

埼玉県は、ひな人形や節句人形の出荷額でも全国1位です。年間の出荷額は34億2200万円で、全国シェアでの割合は44.6%と5割に迫る勢いです。埼玉は、古くから桐箪笥や下駄の産地として知られていましたが、その加工の際にでる桐の端材などを利用して人形づくりが生まれたといわれています。埼玉県には、ひな人形の生産地として知られるさいたま市岩槻や鴻巣市があり、鴻巣市内の人形町には数多くの人形店が軒を連ねています。

千葉県

都道府県基礎金額情報

◉県内総生産（2020年度）

20兆7756億円

◉県民所得（2020年度）

18兆7749億円

◉農業産出額（2022年度）

3676億円

◉製造品出荷額等（2022年）

13兆968億円

◉小売業商品販売額（2022年）

6兆2202億円

◉財政規模（普通会計）（2021年度）

歳入（決算額）

2兆2181億円

歳出（決算額）

2兆1900億円

1兆2323億円

千葉と神奈川をつなぐアクアライン

千葉県には、東京湾の中央部を横断する東京湾アクアラインがあります。総工費は1兆2323億円です。東京湾アクアラインは、全長15.1kmの自動車専用の有料道路で、千葉県木更津市と神奈川県川崎市を結んでいます。自動車で東京湾を約15分で横断することができる道路で、木更津側の4.4kmの橋梁と川崎側の9.5kmのトンネルで構成されています。橋梁とトンネルを接続する場所には「海ほたる」と呼ばれる人工島があります。

千葉県ランキング上位トピック

だいこん産出額
87億円(全国1位)
日本なし産出額
74億円(全国1位)
伊勢えび産出額
7億1700万円(全国2位)
冷凍調理食品出荷額
854億8200万円(全国2位)
冷凍水産物出荷額
730億3900万円(全国2位)

今度ゴルフにでも行くか!

醤油の出荷額全国1位

411億7900万円

千葉県は、醤油の出荷額が全国1位です。年間出荷額は411億7900万円で、全国シェアに占める割合は28%にも上ります。なぜ、千葉県が醤油で大きなシェアを誇っているかというと、醤油メーカー大手5社のうちの3社が千葉県の野田市や銚子市に拠点を構えているためです。江戸時代から醤油製造が盛んになった理由は、大消費地・江戸が近く、利根川・江戸川の水運が発達していたことが挙げられます。

落花生産出額全国1位

千葉県といえば、名物の落花生(ピーナッツ)も令和3年の出荷額が91億円で、堂々の全国1位でした。全国の落花生のシェアのじつに84%を占めており、千葉が落花生の一大産地であることはよく知られています。なぜ千葉県が落花生の一大産地になったかというと、八街市を含む千葉北部の関東ローム層の土壌が、水はけのよい火山灰土でできており、落花生の栽培にとても適していたことが理由です。

関東圏のゴルファー御用達

千葉県は、ゴルフ場の売上高が全国1位です。全国平均が約162億9800万円であるのに対して、千葉県は747億6000万円もの売上を上げているのです。千葉県内には、市原エリア、印旛エリア、長生エリア、君津エリア、東総エリア、東葛飾エリア、山武エリア、千葉エリア、夷隅エリア、安房エリアなどに多数のゴルフ場が存在しており、東京都からのアクセスもいいこともあって、ゴルフ場の利用者がきわめて多くなっているのです。

東京都

都道府県基礎金額情報

◉都内総生産（2020年度）

109兆6016億円

◉都民所得（2020年度）

73兆2495億円

◉農業産出額（2022年度）

218億円

◉製造品出荷額等（2022年）

7兆6227億円

◉小売業商品販売額（2022年）

20兆4611億円

◉財政規模（普通会計）（2022年度）

歳入（決算額）

9兆3329億円

歳出（決算額）

9兆478億円

一人あたりの県民所得全国1位

東京都のナンバーワンといえば、もちろん一人あたりの県民所得。全国平均が312万3000円に対して、東京都は521万4000円となっています。これは、東京都内の住む場所によっても変動し、最も平均所得が高いのが港区で約1163万円、続いて千代田区が1006万円、渋谷区が886万円となっています。都心から離れれば離れるほど、平均所得は下がる傾向にあり、最も低いエリアでは200万円台後半になります。

東京都ランキング上位トピック

卸売業・小売業年間商品販売額
20兆6414億円(全国1位)

印刷・同関連業製造品出荷額
7425億円(全国1位)

民営家賃(民営借家、1か月、3.3㎡あたり)の小売価格
8806円(全国1位)

1世帯あたり(2人以上)のワイン年間購入金額
9110円(全国1位)

日本一の高層複合施設

6400億円

2023年11月に開業した「麻布台ヒルズ」は、日本一の高層複合施設といわれています。総事業費はおよそ6400億円で、六本木ヒルズの2倍以上の費用をかけて建設されました。麻布台ヒルズは、町の中心に約6000㎡の広場を配置し、その周りに高さ330mの超高層ビルを含む住宅施設、商業施設、文化施設、インターナショナルスクール、オフィス、ホテルなどが立ち並ぶ構成になっています。

東京はコーヒーも高い

東京都は、喫茶店における1杯あたりのコーヒーの小売価格が全国1位で520円。つまり、外食のコーヒーの値段が一番高いのが東京ということです。全国平均は432円です。ちなみに、一番安いのは鳥取県で1杯あたり345円となっています。ただし、日本でいちばん喫茶店にお金を使っているのは、東京ではなく名古屋市。名古屋には「モーニング」の文化があることが理由だと考えられています。

日本一高い賃貸マンション

日本でいちばん家賃の高いマンションも、もちろん東京にあります。東京都渋谷区の代官山にあるマンションの一室は、なんと家賃月額531万円。間取りは1LLDDKKだということです。このマンションは地上7階、地下1階建てで、総戸数は139戸。2位以下も東京の六本木にあるマンションが家賃450万円、元麻布のマンションが330万円、虎ノ門にあるマンションが310万7000円と続きます。

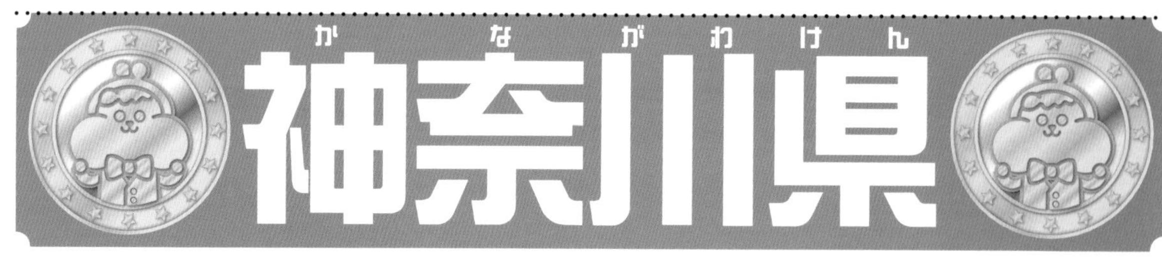

神奈川県

都道府県基礎金額情報

◉県内総生産（2020年度）

33兆9055億円

◉県民所得（2020年度）

27兆3544億円

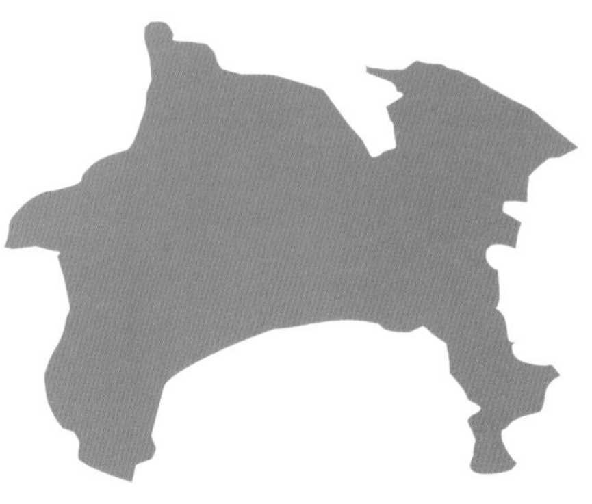

◉農業産出額（2022年度）

671億円

◉製造品出荷額等（2022年）

17兆3752億円

◉小売業商品販売額（2022年）

8兆8169億円

◉財政規模（普通会計）（2021年度）

歳入（決算額）

2兆4926億円

歳出（決算額）

2兆4501億円

シュウマイ年間購入額全国1位

神奈川県といえば、横浜中華街が有名。神奈川県はシュウマイの年間購入額が全国1位です。1世帯あたりの全国平均は1070円に対して、神奈川県は2229円と倍近くシュウマイを買っていることになります。神奈川には、シュウマイの有名メーカーがあり、横浜名物「シウマイ」として広く知られています。1928年、電車の中で食べやすいよう、一口サイズの折り詰め形式で売り出したことが始まりです。

神奈川県ランキング上位トピック

1世帯あたり(2人以上)の豚肉年間購入金額
3万7485円(全国1位)

フィットネスクラブ売上高
560億8200万円(全国2位)

学習塾売上高
1269億9400万円(全国2位)

顕微鏡・拡大鏡出荷額
6億8100万円(全国2位)

住みたい街ランキング堂々の第1位

神奈川県の横浜市といえば、住みたい街ランキングで6年連続第1位を獲得している街。横浜駅のある横浜市西区の家賃相場は、ワンルームの一人暮らしで6.5万円。横浜のどこに魅力を感じているかというアンケートにおいては、「働く場所として魅力的」、「文化・娯楽施設が充実している」、「街がにぎわっている」、「大規模商業施設がある」などの理由が挙げられています。ちなみに第2位は東京都武蔵野市の吉祥寺です。

東京と横浜の広範囲に及ぶ工業地帯

神奈川県といえば、京浜工業地帯も有名。神奈川県の臨海地域を中心に、東京、神奈川、千葉、埼玉と広範囲にわたる工業地帯で、2020年度の製造品出荷額等は23兆1190億円に上ります。1990年頃には、日本国内における第1位の工業地帯としての地位を確立していましたが、現在は衰退して中京工業地帯などの生産額に追い抜かれてしまい、第5位です。主な工業都市は東京23区、横浜市、横須賀市、日野市、府中市、藤沢市、八王子市などです。

数十億円のお金が動く箱根駅伝

神奈川県といえば、毎年元旦に開催される箱根駅伝。宣伝効果は約60億円にも上るといわれています。2024年の箱根駅伝は、記念すべき第100回の大会となりました。箱根駅伝は関東学生陸上競技連盟が主催・運営を務めているイベントですが、箱根駅伝を放送するテレビ局が支払う放映権料は複数年契約で数十億円という金額になります。箱根駅伝は不祥事などもなくイメージがよいため、企業からすれば広告の出稿先としては絶好の対象なのです。

47都道府県ランキング②

順位	都道府県	農業産出額
①位	北海道	1兆2919億円
②位	鹿児島県	5114億円
③位	茨城県	4409億円
4位	千葉県	3676億円
5位	熊本県	3512億円
6位	宮崎県	3505億円
7位	青森県	3168億円
8位	愛知県	3114億円
9位	栃木県	2718億円
10位	長野県	2708億円
11位	岩手県	2660億円
12位	群馬県	2473億円
13位	山形県	2394億円
14位	新潟県	2369億円
15位	静岡県	2132億円
16位	福岡県	2021億円
17位	福島県	1970億円
18位	宮城県	1737億円
19位	秋田県	1670億円
20位	兵庫県	1583億円
21位	埼玉県	1545億円
22位	岡山県	1526億円
23位	長崎県	1504億円
24位	佐賀県	1307億円
25位	広島県	1289億円
26位	大分県	1245億円
27位	愛媛県	1232億円
28位	山梨県	1164億円
29位	岐阜県	1129億円
30位	和歌山県	1108億円
31位	三重県	1089億円
32位	高知県	1073億円
33位	徳島県	931億円
34位	沖縄県	890億円
35位	香川県	855億円
36位	鳥取県	745億円
37位	京都府	699億円
38位	神奈川県	671億円
39位	山口県	665億円
40位	島根県	646億円
41位	滋賀県	602億円
42位	富山県	568億円
43位	石川県	484億円
44位	福井県	412億円
45位	奈良県	390億円
46位	大阪府	307億円
47位	東京都	218億円

出典：農林水産省「令和4年 農業産出額及び生産農業所得（都道府県別）」（2022年）

耕産業産出額

順位	都道府県	産出額
1位	北海道	5384億円
2位	茨城県	2939億円
3位	千葉県	2448億円
4位	長野県	2427億円
5位	青森県	2190億円
6位	愛知県	2189億円
7位	熊本県	2170億円
8位	山形県	1981億円
9位	新潟県	1842億円
10位	福岡県	1608億円
11位	鹿児島県	1560億円
12位	静岡県	1477億円
13位	福島県	1469億円
14位	栃木県	1450億円
15位	秋田県	1291億円
16位	埼玉県	1283億円
17位	群馬県	1257億円
18位	宮崎県	1119億円
19位	山梨県	1075億円
20位	和歌山県	1053億円
21位	高知県	986億円
22位	宮城県	984億円
23位	兵庫県	960億円
24位	愛媛県	947億円
25位	岩手県	945億円
26位	佐賀県	939億円
27位	長崎県	906億円
28位	岡山県	829億円
29位	大分県	764億円
30位	広島県	707億円
31位	岐阜県	704億円
32位	徳島県	659億円
33位	三重県	598億円
34位	神奈川県	522億円
35位	京都府	516億円
36位	富山県	485億円
37位	滋賀県	485億円
38位	沖縄県	477億円
39位	香川県	471億円
40位	山口県	456億円
41位	鳥取県	441億円
42位	石川県	383億円
43位	島根県	369億円
44位	福井県	355億円
45位	奈良県	322億円
46位	大阪府	288億円
47位	東京都	201億円

出典：農林水産省「令和4年 農業産出額及び生産農業所得（都道府県別）」（2022年）

畜産業産出額

順位	都道府県	産出額
1位	北海道	7535億円
2位	鹿児島県	3473億円
3位	宮崎県	2349億円
4位	岩手県	1714億円
5位	茨城県	1340億円
6位	熊本県	1323億円
7位	栃木県	1262億円
8位	千葉県	1226億円
9位	群馬県	1215億円
10位	青森県	979億円
11位	愛知県	919億円
12位	宮城県	752億円
13位	岡山県	697億円
14位	兵庫県	622億円
15位	長崎県	596億円
16位	広島県	582億円
17位	静岡県	543億円
18位	新潟県	525億円
19位	福島県	487億円
20位	三重県	474億円
21位	大分県	472億円
22位	岐阜県	422億円
23位	沖縄県	412億円
24位	山形県	411億円
25位	福岡県	402億円
26位	香川県	384億円
27位	秋田県	378億円
28位	佐賀県	363億円
29位	鳥取県	304億円
30位	愛媛県	285億円
31位	島根県	276億円
32位	徳島県	272億円
33位	長野県	262億円
34位	埼玉県	261億円
35位	山口県	208億円
36位	神奈川県	147億円
36位	京都府	147億円
38位	滋賀県	116億円
39位	石川県	100億円
40位	高知県	86億円
41位	山梨県	81億円
42位	富山県	79億円
43位	奈良県	62億円
44位	福井県	56億円
45位	和歌山県	38億円
46位	大阪府	19億円
47位	東京都	17億円

出典：農林水産省「令和4年 農業産出額及び生産農業所得（都道府県別）」（2022年）

第③章

中部地方

ココ

新潟県

都道府県基礎金額情報

◉県内総生産（2020年度）

8兆8575億円

◉県民所得（2020年度）

6兆1283億円

◉農業産出額（2022年度）

2369億円

◉製造品出荷額等（2022年）

5兆1194億円

◉小売業商品販売額（2022年）

2兆3368億円

◉財政規模（普通会計）（2022年度）

歳入（決算額）

1兆4517億円

歳出（決算額）

1兆3134億円

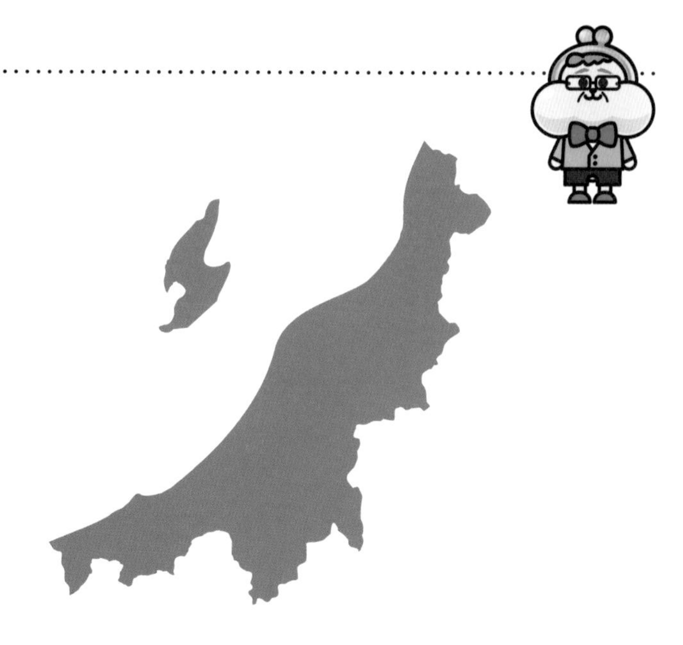

米の産出額全国1位

新潟県といえば、「米どころ」。お米の産出額は全国1位の1319億円にも上ります。これは全国シェアに占める割合は9.4%であるものの、産出額1000億円を超えるのは新潟県の他には2位の北海道しかなく、新潟の稲作がいかに盛んかがうかがい知れます。新潟県は山と川などの自然に恵まれ、多くの河川が豊かな土壌をつくり出し、また、肥沃な平地が数多く存在するため、米づくりに最適な環境が整っています。

新潟県ランキング上位トピック

米菓出荷額
2186億円（全国1位）

1世帯（2人以上）あたりの塩さけ年間購入金額
4,930円（全国1位）

包丁出荷額
73億8000万円（全国2位）

1世帯（2人以上）あたりの天ぷら・フライ年間購入金額
1万4940円（全国3位）

日本最長の山岳トンネル

新潟県には、新潟県と群馬県をつなぐ「関越トンネル」があり、建設費は、約630億円にも上ります。同トンネルは道路用として、また、山を貫いてつくった山岳トンネルとして日本最長のトンネルです。全長は下り線が1万926m、上り線が1万1055m、谷川岳を貫くように通っています。この関越トンネルが開通したことによって、関東圏と新潟県とのアクセスが格段に向上することになりました。

上越新幹線の巨額の建設費

新潟県といえば、「上越新幹線」も有名です。建設費は1兆7000億円で、埼玉県の大宮駅から新潟県の新潟駅までを結ぶ新幹線の路線およびその列車のことを指します。並行在来線の上越線からその名が付けられました。起点は大宮とされていますが、実際にはほぼすべての列車が東京を起点とする東北新幹線に乗り入れているため、東京駅−新潟駅間を運行しています。路線距離は269.5kmに及び、建設にかかった期間はなんと11年でした。

食卓用金物の出荷額全国1位

新潟県は、食卓用のナイフ・フォーク・スプーンの年間出荷額が全国1位です。出荷額は44億2600万円で、全国シェアに占める割合は81.9%にも及びます。まさに、新潟県は「食器大国」なのです。新潟県における洋食器製造を支えているのが、燕市と三条市。この地域には、洋食器製造メーカーが存在しています。もともと江戸時代初期に信濃川の氾濫に苦しんだ農民たちが、副業として金物製造を始めたのが起源とされています。

富山県

都道府県基礎金額情報

◉県内総生産(2020年度)

4兆7299億円

◉県民所得(2020年度)

3兆2286億円

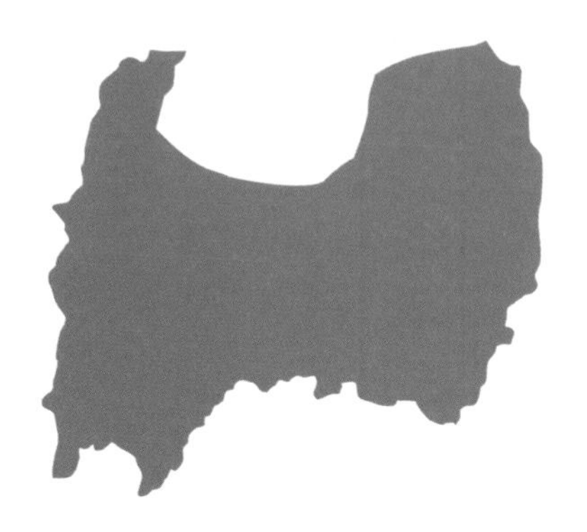

◉農業産出額(2022年度)

568億円

◉製造品出荷額等(2022年)

3兆9045億円

◉小売業商品販売額(2022年)

1兆1431億円

◉財政規模(普通会計)(2022年度)

歳入(決算額)

9538億円

歳出(決算額)

9125億円

日本一の堤高を誇る「黒部ダム」

富山県には、日本で最も堤高が高いダム、「黒部ダム」があります。建設費は513億円にも上りましたが、これは当時工事を担当した電力会社の資金力の5倍もの金額でした。黒部ダムは、黒部川第4発電所での発電のために建設された発電専用のダムで、堤高は186mにも及びます。これは日本一なだけでなく、世界でも最高クラスの堤高。ここでできた電気は関西地域の電力を賄うのに使われています。

富山県ランキング上位トピック

住宅用アルミサッシ出荷額
約1000億円(全国1位)

1世帯(2人以上)あたりのこんぶ年間購入金額
1663円(全国1位)

1世帯(2人以上)あたりの油揚げ・がんもどき年間購入金額
4504円(全国2位)

1世帯(2人以上)あたりの日本なし年間購入金額
3881円(全国2位)

ぶり大根はおいしいからのう

「くすりの富山」の医薬品

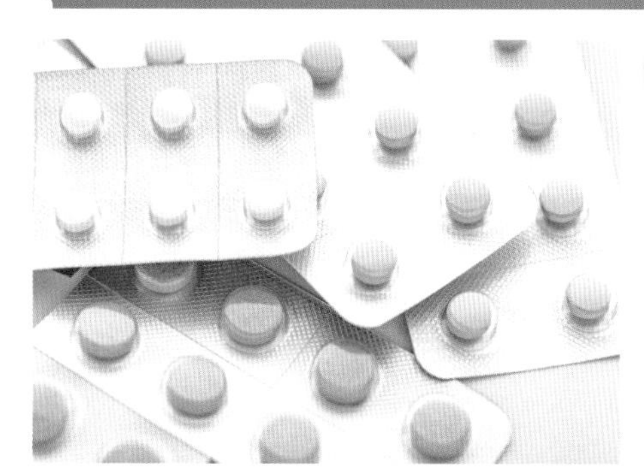

富山県といえば、医薬品産業も有名で、医薬品生産金額は6609億円です。江戸時代中期から医薬品の製造・販売が盛んで、「越中富山の薬売り」と呼ばれる富山の薬商人が展開した置き薬ビジネスで知られ、300年以上の歴史を有しています。ただし、現在の医薬品生産金額は全国第5位にとどまっていますが(医薬品原末・原液は1位)、一方で富山県民の人口一人あたりの金額は60.5万円の全国1位です。富山県には数多くの製薬会社があります。

ぶりの年間購入金額全国1位

富山市といえば、寒ブリも有名です。ぶりの年間購入金額が全国1位で、全国平均が1世帯あたり2919円であるのに対し、富山市は6936円と2倍以上も大きいのです。富山では、江戸時代から全国に先駆けて「定置網」によるぶり漁が行われ、能登の塩を使った「塩ぶり」にして各地に出荷していました。富山でぶりがたくさん獲れるのは、能登半島が地理的に北海道沖から帰ってくる回遊魚のぶりを捕まえやすい好位置にあるためといわれています。

日本の90%の銅器をつくる高岡市

富山県といえば、「高岡銅器」もよく知られている名産品です。2020年度の高岡市の銅器の出荷額は95億8000万円にも上ります。高岡銅器は、富山県高岡市周辺でつくられている銅器の総称で、室内の置物、仏具、花器、仏像、銅像など多種多様な工芸品が製造されています。高岡市は、日本における銅器づくりのシェアのうち90%を占めており、市内には1990年時点で461件もの銅器業者が軒を連ねていました。

石川県

都道府県基礎金額情報

◉県内総生産（2020年度）

4兆5277億円

◉県民所得（2020年度）

3兆1375億円

◉農業産出額（2022年度）

484億円

◉製造品出荷額等（2022年）

2兆8018億円

◉小売業商品販売額（2022年）

1兆2200億円

◉財政規模（普通会計）（2022年度）

歳入（決算額）

6825億円

歳出（決算額）

6594億円

カネオクイズ

石川県はアイスクリームの
購入金額が全国1位ですが、
それはなぜでしょうか？

日本の金箔の99%は石川県産

石川県は、国内で生産されている「金箔」のじつに99%を生産しています。1990年度には136億円の生産額がありましたが、2022年度の生産額は16億円と約10分の1まで落ち込んでいます。生産額が落ち込んだ理由は、国内で仏壇や仏具を置く家庭が減ってしまったことが挙げられます。仏壇の需要が減少する中、金の高騰のあおりを受けた金箔業界は、仏壇等の目立たない部分に貼る金箔をできるだけ減らすなど苦心しているようです。

石川県ランキング上位トピック

1世帯（2人以上）あたりのぶり年間購入金額
5497円（全国2位）

1世帯（2人以上）あたりのいわし年間購入金額
885円（全国2位）

漆器製台所・食卓用品出荷額
14億2,500万円（全国3位）

1世帯（2人以上）あたりの乳酸菌飲料年間購入金額
6526円（全国3位）

巨大なでか山を曳く勇壮な祭

石川県といえば、国の重要無形民俗文化財に指定されている「青柏祭の曳山行事」も有名です。この祭で使用される「でか山」1つの制作費用はおよそ2000万円。でか山は、高さ12m、重さ20トンという偉容を誇る曳山です。でか山の青柏祭は、石川県七尾市の大地主神社で毎年5月初旬に開催され、石崎奉燈祭、能登島向田の火祭、お熊甲祭とともに七尾4大祭のひとつに数えられています。

加賀百万石の現代の価値

石川県といえば、かつては加賀藩があった場所。外様大名の前田家は「加賀百万石」といわれ、1石という単位は米約150kgに相当するそうです。石川県における米の平均小売価格は5kgあたり2273円。実際の加賀藩の石高は102万石あったため、現代の価格に直すと約695億5380万円にも上ります。ただし、現代の米の生産量は石川県が約12万トンで、第1位の新潟県の約66万トンにはかなり差が付けられています。

正解　夏も冬もアイスクリームをおいしく感じる室温だから

石川県は、アイスクリーム・シャーベットの年間購入額が全国1位です。1世帯あたりの年間購入額は、全国平均が1万369円であるのに対して、石川県金沢市は1万1274円です。金沢のアイス人気の理由は、恐らく金沢が夏に暑くなりすぎず、また、冬には暖房設備が充実していて寒くないため、アイスクリームをおいしいと感じやすいからではないかと考えられています。

福井県

都道府県基礎金額情報

◉県内総生産（2020年度）

3兆5711億円

◉県民所得（2020年度）

2兆4405億円

◉農業産出額（2022年度）

412億円

◉製造品出荷額等（2022年）

2兆3953億円

◉小売業商品販売額（2022年）

8613億円

◉財政規模（普通会計）（2022年度）

歳入（決算額）

5793億円

歳出（決算額）

5620億円

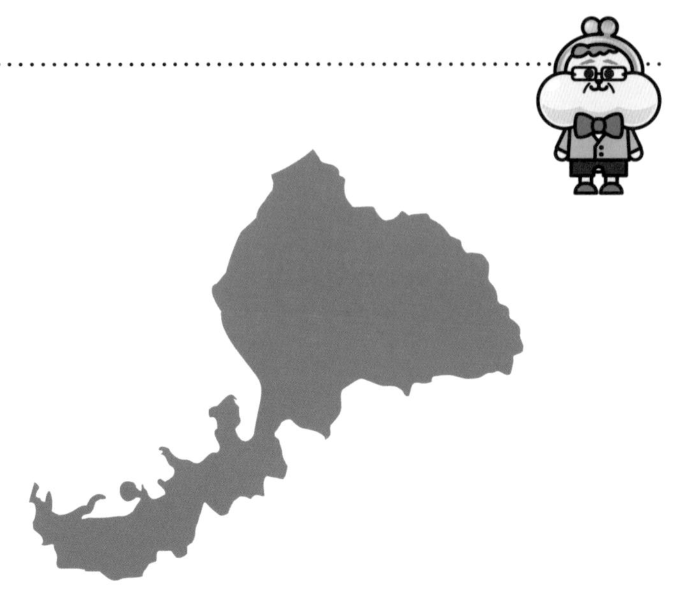

世界三大眼鏡産地の1つ

356億9500万円

福井県といえば、鯖江市および福井市の眼鏡フレームが有名です。日本国内の眼鏡フレームの生産率ではじつに93.3%を占めています。出荷額は2021年度で年間356億9500万円にも上ります。福井県における眼鏡生産は、100年以上前に遡ります。明治時代の福井の人々が農業以外の産業を興そうとはじめたのがきっかけです。現在、福井県はイタリア、中国と並び「世界の三大眼鏡産地」として世界的に知られる存在になりました。

福井県ランキング上位トピック

漆器製台所・食卓用品出荷額
38億7900万円(全国1位)

1世帯(2人以上)あたりの天ぷら・フライ年間購入金額
1万7051円(全国1位)

1世帯(2人以上)あたりのさといも年間購入金額
1570円(全国2位)

1世帯(2人以上)あたりのかに年間購入金額
4006円(全国2位)

国内の約8割の恐竜化石が福井から

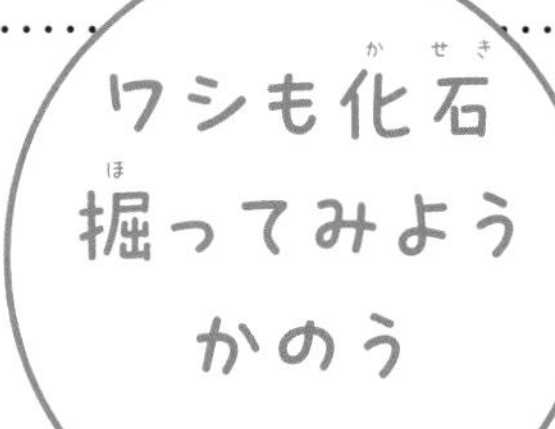

福井県の勝山市北谷町には、国内最大の恐竜化石発掘現場があります。数多くの恐竜の化石が発掘されていることから、福井県は「恐竜王国」と呼ばれるほど。国内の約8割にものぼる恐竜の化石が福井県で発掘されているのです。また、勝山市には世界三大恐竜博物館のひとつとされる「福井県立恐竜博物館」があり、総事業費は約140億円。約4万点もの資料が展示されています。2023年、約94億円をかけてリニューアルオープンされました。

ようかんの年間購入額全国1位

福井県は、ようかんの年間購入額が全国1位です。全国平均が1世帯あたり677円であるのに対し、福井県は1490円。その理由は、福井県に共働き世帯が多いことが理由かもしれません。共働き世帯では、仕事から家に帰ってきてすぐに食卓に並べられるものが好まれます。そのため、ようかんの他に「コロッケ」「カツレツ」といった出来合いの食べ物においても福井県は日本一(しかも数年連続)となっているのです。

油揚げ・がんもどき年間購入額全国1位

福井県は、油揚げ・がんもどきの年間購入額も全国1位です。全国平均が1世帯あたり2922円であるのに対して、福井県は5626円と2倍近く購入しているのです。これは、福井県には古くからの仏教寺院が多く存在しており、油揚げを使う精進料理が広く普及していること、共働き世帯が多いために手間のかからない出来合いの惣菜を買い求める人が多いことなどが理由として考えられています。

山梨県

都道府県基礎金額情報

◉県内総生産（2020年度）

3兆5527億円

◉県民所得（2020年度）

2兆4154億円

◉農業産出額（2022年度）

1164億円

◉製造品出荷額等（2022年）

2兆7111億円

◉小売業商品販売額（2022年）

8408億円

◉財政規模（普通会計）（2022年度）

歳入（決算額）

6098億円

歳出（決算額）

5897億円

ぶどう生産量全国1位

436億7400万円

山梨県は、ぶどうの生産量が全国1位となっています。2022年の生産量は4万800トンで、生産額は436億7400万円でした。特に、単価の高いシャインマスカットは全国シェアの約43.4%を山梨県が生産しています。山梨県は、日本で一番日照時間が長く、日光をたくさん浴びることができ、なおかつ山々に囲まれた盆地であることが昼夜の寒暖差を大きくし、そのためフルーツ全般がおいしく育つのです。

山梨県ランキング上位トピック

数値制御ロボット出荷額
2575億円（全国1位）

1世帯（2人以上）あたりのぶどう年間購入金額
7267円（全国1位）

1世帯（2人以上）あたりのまぐろ年間購入金額
8885円（全国2位）

1世帯（2人以上）あたりの桃年間購入金額
3113円（全国2位）

もも生産量全国1位

211億9300万円

山梨県は、フルーツがおいしく育つ環境が整っているため、ぶどう以外のフルーツも高品質のものが豊富に収穫されます。ももの生産量も実は国内第1位です。2022年の生産量は3万5700トンで、生産額は211億9300万円にも上りました。また、ももの栽培面積も全国1位で、国内のももの生産量のうち約3分の1が山梨県産となっています。山梨県産のももの特徴は真っ赤に色づいた果皮と、酸味が少なく甘みの強い果肉です。

観光農園の年間販売額全国1位

山梨県は、日本有数のフルーツ産出県ですから、当然ながら観光農園の年間販売額も全国1位となっています。観光農園とは、いちご狩り、もも狩りなどの「フルーツ狩り」のような、農場経営者が観光客に自ら生産した農産物の収穫の一部を体験させ、その場で味を賞味させる事業体のこと。山梨県における観光農園の年間販売額は、34億円で、全国シェアに占める割合は約8%にもなります。

ミネラルウォーター出荷額全国1位

山梨県は、日本におけるミネラルウォーター発祥の地でもあります。富士山、南アルプス（赤石山脈）、八ヶ岳などの標高の高い山々と、県土の78%を占める豊かな森林が天然の濾過装置となり、清らかなミネラルウォーターが豊富に湧いているため、現在でもミネラルウォーターの出荷額は日本一。2022年度は、681億8000万円の売上を上げました。全国シェアに占める割合は、じつに38.2%にも達しています。

長野県

都道府県基礎金額情報

◉県内総生産(2020年度)

8兆2141億円

◉県民所得(2020年度)

5兆7104億円

◉農業産出額(2022年度)

2708億円

◉製造品出荷額等(2022年)

6兆6464億円

◉小売業商品販売額(2022年)

2兆2864億円

◉財政規模(普通会計)(2022年度)

歳入(決算額)

1兆2902億円

歳出(決算額)

1兆1872億円

顕微鏡・拡大鏡の出荷額全国1位

251億7000万円

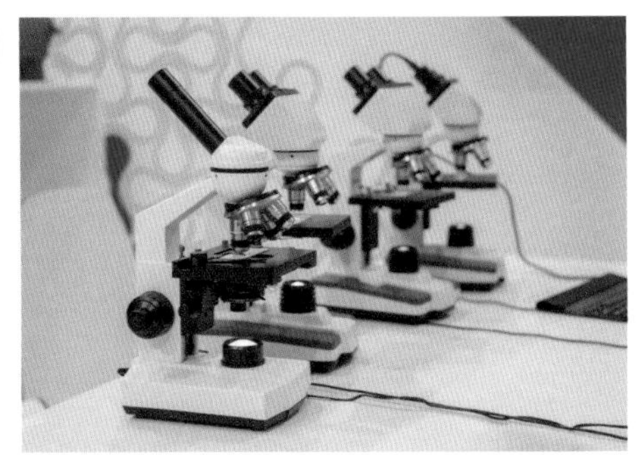

長野県は、顕微鏡・拡大鏡の出荷額が全国1位です。2021年度の年間出荷額は251億7000万円で、全国シェアに占める割合はじつに86.2%です。長野県の諏訪は、豊かな水源を利用した精密機械工業が発展してきた地域であり、複数の精密機器メーカーが工場を構えています。そのため、現在もデジタル技術やレーザー技術を使用した顕微鏡・拡大鏡が多く開発・製造されているのです。

長野県ランキング上位トピック

ジュース出荷額
506億円(全国2位)

1世帯(2人以上)あたりのりんご年間購入金額
8748円(全国2位)

ソックス出荷額
15億7000万円(全国3位)

清酒かす出荷額
1億5500万円(全国3位)

長野が精密機器にも強いなんて意外じゃのう

みその出荷額全国1位

722億3000万円

長野県は、みそ(粉みそを含む)の年間出荷額が全国1位です。日本のみその約半分が長野県で造られているほど大きなシェアを誇っています。年間出荷額は722億3000万円で、全国シェアに占める割合は52%です。長野県で米麹、大豆、塩を原料に造られる「信州味噌」は、一説には鎌倉時代から続く歴史あるみそとして、現在も長野県に100軒以上の味噌蔵が残っているといいます。信州味噌は、その品質の高さが評判です。

寒天の出荷額全国1位

25億円

長野県は、寒天の年間出荷額も全国1位です。2021年度の年間出荷額は25億円で、全国シェアに占める割合は45.1%にもなります。寒天の主原料は海で採れる海藻です。なぜ海なし県の長野県が寒天シェアナンバーワンになったのかというと、長野は夜の冷え込みが激しく、日中の晴天が多いという気候のため、冬場にところてんを凍らせてから溶かすという製法に適していたからだといわれています。

ギターの出荷額全国1位

約34億5000万円

長野県は、ギターの年間出荷額でも全国1位となっています。2019年度の年間出荷額は約34億5000万円で、全国シェアに占める割合は47.6%。国内産ギターの約半分が長野で製造されていることになります。県内には松本市や塩尻市を中心として20社ほどのギターメーカーが存在しています。特に松本市の周辺は空気が通年で乾燥しているため、ギターづくりに適しているようです。

岐阜県

都道府県基礎金額情報

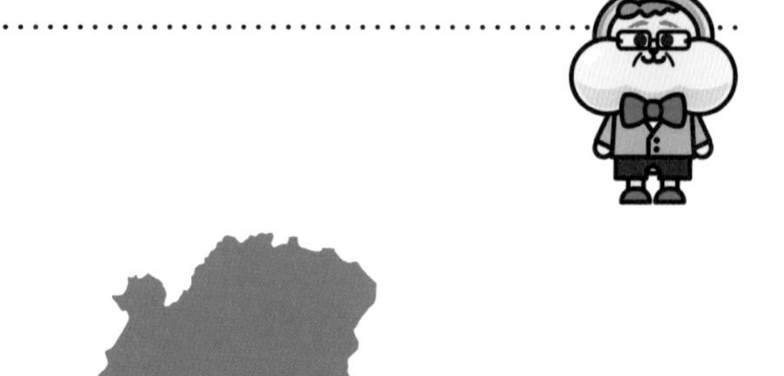

◉県内総生産（2020年度）

7兆6630億円

◉県民所得（2020年度）

5兆6886億円

◉農業産出額（2022年度）

1129億円

◉製造品出荷額等（2022年）

6兆1159億円

◉小売業商品販売額（2022年）

2兆448億円

◉財政規模（普通会計）（2022年度）

歳入（決算額）

1兆398億円

歳出（決算額）

1兆374億円

包丁の出荷額全国1位

137億6000万円

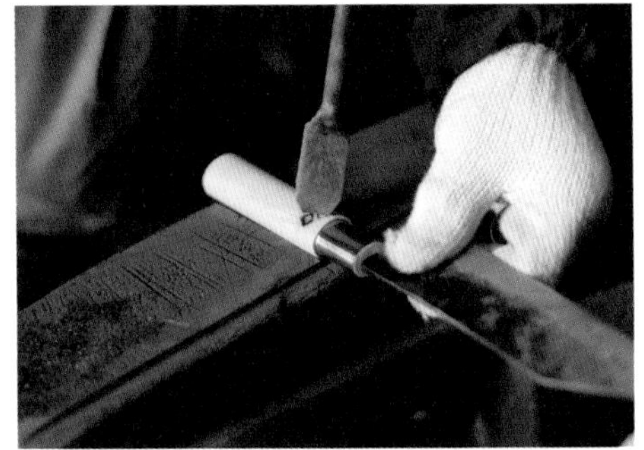

岐阜県は、包丁の年間出荷額が全国1位です。年間出荷額は137億6000万円で、全国シェアに占める割合は56.1%です。つまり、日本で製造している包丁の半分以上が岐阜県産なのです。岐阜県は、古くから刃物製造が地場産業として栄えており、特に関市は刃物で世界的にも有名な存在です。岐阜県は包丁のみならず、刃物全般に強く、関市は大阪府堺市、新潟県三条市と並び、日本の三代刃物産地の1つに数えられています。

岐阜県ランキング上位トピック

給排水用バルブ・コック出荷額
550億円(全国1位)

木製机・テーブル・椅子出荷額
221億円(全国1位)

1世帯(2人以上)あたりのかき年間購入金額
2450円(全国1位)

食卓用ナイフ・フォーク・スプーン出荷額
9億4500万円(全国2位)

日本最大の陶磁器生産地・美濃

116億7000万円

岐阜県は、陶磁器製洋飲食器、陶磁器製和飲食器がどちらも年間出荷額で全国1位となっています。洋飲食器の2021年度の年間出荷額は80億4300万円で全国シェアに占める割合が71.2%、和飲食器の年間出荷額は116億7000万円でした。これは、岐阜県に日本最大の陶磁器生産地である美濃地方(土岐市・多治見市など)があることが大きな理由です。ここでは、古くから志野焼・織部焼などを含む美濃焼と呼ばれる陶磁器が有名です。

総貯水量日本一の徳山ダム

岐阜県にある徳山ダムは、日本一の総貯水量を誇っています。総貯水量は、6億6000万㎥にも達し、これは浜名湖の容量の約2倍もあります。徳山ダムは揖斐川街上流に建設され、総事業費は約3300億円。ダムの構造は、中央遮水壁型ロックフィルダムという種類になります。ダムの堤頂の長さは、16両編成の東海道新幹線「のぞみ」の全長を越える427mもあります。

ノーベル賞受賞に貢献した世界最大の観測装置

岐阜県には、2002年、小柴昌俊のノーベル物理学賞の受賞にも貢献したことで知られる観測装置「スーパーカミオカンデ」があることでも知られています。スーパーカミオカンデは、東京大学宇宙船研究所が運用する世界最大級の水チェレンコフ宇宙素粒子観測装置で、建設費用は104億円。素粒子のひとつであるニュートリノの性質を解明する目的で建設されました。カミオカンデの名前は、岐阜県の神岡町という地名に由来しています。

静岡県

都道府県基礎金額情報

◉県内総生産（2020年度）

17兆1052億円

◉県民所得（2020年度）

11兆2985億円

◉農業産出額（2022年度）

2132億円

◉製造品出荷額等（2022年）

17兆2905億円

◉小売業商品販売額（2022年）

3兆9500億円

◉財政規模（普通会計）（2022年度）

歳入（決算額）

1兆4721億円

歳出（決算額）

1兆4474億円

緑茶の出荷額全国1位

1339億
4200万円

静岡県といえば、「お茶」。緑茶(仕上茶)の年間出荷額は1339億4200万円、全国シェアに占める割合は61%にも及びます。私たちが口にする日本茶の半分以上が静岡県産なのです。静岡に迫る勢いなのが鹿児島県で、2020年には荒茶(取引用の半製品のこと)の生産量で僅差にまで追い上げられましたが、その後、ふたたび引き離しました。また、静岡県は、全国の茶園面積の約40%を占めており、栽培面積でも日本一となっています。

静岡県ランキング上位トピック

ジュース出荷額
594億3500万円(全国1位)

1世帯(2人以上)あたりの緑茶年間購入金額
8549円(全国1位)

1世帯(2人以上)あたりのまぐろ年間購入金額
1万3258円(全国1位)

ひな人形・節句人形出荷額
34億6700万円(全国2位)

ピアノ出荷額全国1位

静岡県は、ピアノの製造でも日本一となっています。ピアノの年間出荷額は196億6900万円で、全国シェアに占める割合は92%。国産ピアノのほとんどは、静岡県産なのです。2019年における静岡県のピアノ出荷数は3万6073台にも達したといいます。静岡県の楽器産業は明治時代に始まり、日本で初めてピアノがつくられたのは1900年、浜松にあるピアノ工場においてだったそうです。

プラモデル出荷額全国1位

静岡県は、プラモデルの年間出荷額でも全国1位です。年間出荷額は222億5800万円で全国シェアに占める割合はなんと92%にもなります。静岡県には、有名なプラモデルメーカーが多く存在し、「プラモデルの聖地」と呼ばれるほど。静岡におけるプラモデルの歴史は古く、戦前の木製模型飛行機の製造がその礎となって発展してきたそうです。木製模型がやがてプラスチック模型へと変わり、シェアを伸ばしていったのです。

米の年間購入額全国1位

静岡県はお米の年間購入額が全国1位です。全国平均が1世帯あたり2万1869円であるのに対し、静岡県は2万8588円となっています。静岡県では、お米の味を比べるコンテストが毎年開かれるなど、お米の生産や品質に対する関心が非常に高い県。静岡県は、お米の支出金額だけでなく消費量も日本一となっています。もちろん、お米の収穫量や作付面積では新潟県、北海道、秋田県には敵いませんがお米好き度では静岡がナンバーワンなのです。

愛知県

都道府県基礎金額情報

◉県内総生産（2020年度）

39兆6593億円

◉県民所得（2020年度）

25兆8575億円

◉農業産出額（2022年度）

3114億円

◉製造品出荷額等（2022年）

47兆8946億円

◉小売業商品販売額（2022年）

8兆3426億円

◉財政規模（普通会計）（2022年度）

歳入（決算額）

3兆1762億円

歳出（決算額）

3兆1019億円

製造品出荷額等全国1位

愛知県といえば、今や日本最大の工業地帯となった中京工業地帯の存在は無視できません。愛知県は製造品出荷額が40年以上にわたってダントツの全国1位。2022年の製造品出荷額は47兆8946億円で、全国シェアに占める割合は14.5%となっています。中京工業地帯は、阪神工業地帯、京浜工業地帯と並ぶ日本の三大工業地帯のひとつ。愛知県、岐阜県南部、三重県北部の東海3県にまたがっています。

愛知県ランキング上位トピック

パチンコ・スロットマシン出荷額
2655億円(全国1位)

きく出荷額
197億円(全国1位)

ばら出荷額
19億円(全国1位)

みそ(粉みそを含む)出荷額
102億1700万円(全国3位)

訪問販売の年間商品販売額全国1位

愛知県は、訪問販売の年間商品販売額が全国1位です。全国平均が約1026億円であるのに対して、愛知県はなんと4558億円。ただし、訪問販売以外の販売形態では、第1位はすべて東京が独占しています。愛知県の消費生活に関する調査結果でも、「ここ1, 2年の間に勧誘を受けたことのある販売方法は?」という質問に対して、圧倒的に多かった答えが「訪問販売」でした。訪問販売が根付いている土地柄なのです。

パチンコホールの売上高全国1位

愛知県は、パチンコホールの売上高が、全国1位です。全国平均が約2666億6600万円であるのに対し、愛知県は8976億300万円と圧倒的な差を付けています。ただし、日本で最もパチンコ台が多い県となると、第1位は宮崎県で人口10万人あたり5715台、次に鹿児島県の5237台、大分県の5120台と続きます。愛知県は人口10万人あたりのパチンコ台数は比較的下位ですが、パチンコに使われる金額は圧倒的な第1位なのです。

世界最大規模のプラネタリム

名古屋市科学館には、世界最大規模のプラネタリウムがあります。総事業費は168億円で、世界最大の内径35mのドームスクリーンを設置し、全天周動画による迫力のある画像を楽しむことができます。座席数は、約350席でゆったりとした空間で満天の星空を鑑賞可能です。同館には、その他、プラネタリウム以外のさまざまな学習目的の施設も併設されています。

47都道府県ランキング③

順位	都道府県	金額
①位	長野県	577億8000万円
②位	新潟県	441億9000万円
③位	北海道	416億円
4位	宮崎県	372億2000万円
5位	大分県	226億8000万円
6位	岩手県	193億1000万円
7位	熊本県	190億2000万円
8位	秋田県	157億4000万円
9位	静岡県	137億円
10位	福岡県	136億2000万円
11位	栃木県	124億7000万円
12位	福島県	119億5000万円
13位	鹿児島県	110億円
14位	徳島県	106億4000万円
15位	愛媛県	93億4000万円
16位	高知県	93億3000万円
17位	岐阜県	92億8000万円
18位	宮城県	92億2000万円
19位	青森県	91億1000万円
20位	岡山県	89億1000万円
21位	広島県	86億7000万円
22位	茨城県	78億8000万円
23位	山形県	69億3000万円
24位	群馬県	68億3000万円
25位	長崎県	68億円
26位	三重県	61億2000万円
27位	島根県	56億4000万円
28位	和歌山県	46億7000万円
29位	兵庫県	45億円
30位	富山県	44億2000万円
31位	山口県	41億7000万円
32位	香川県	41億3000万円
33位	鳥取県	38億7000万円
34位	千葉県	28億2000万円
35位	京都府	27億1000万円
36位	奈良県	26億8000万円
37位	愛知県	25億7000万円
38位	佐賀県	25億3000万円
39位	石川県	22億4000万円
40位	福井県	16億1000万円
41位	山梨県	15億2000万円
42位	埼玉県	15億円
43位	滋賀県	9億2000万円
44位	沖縄県	7億4000万円
45位	東京都	6億円
46位	神奈川県	4億円
47位	大阪府	3億5000万円

出典：農林水産省「林業産出額」（2021年）

順位	都道府県	漁業産出額
1位	北海道	2569億円
2位	長崎県	936億円
3位	愛媛県	850億円
4位	鹿児島県	658億円
5位	宮城県	655億円
6位	静岡県	507億円
7位	高知県	468億円
8位	青森県	447億円
9位	兵庫県	412億円
10位	三重県	393億円
11位	大分県	356億円
12位	熊本県	342億円
13位	宮崎県	297億円
14位	岩手県	296億円
15位	福岡県	283億円
16位	佐賀県	252億円
17位	広島県	230億円
18位	茨城県	227億円
19位	千葉県	196億円
20位	鳥取県	193億円
21位	沖縄県	179億円
22位	和歌山県	168億円
23位	島根県	162億円
24位	愛知県	155億円
25位	香川県	149億円
26位	神奈川県	136億円
27位	山口県	133億円
28位	石川県	132億円
29位	富山県	121億円
30位	東京都	103億円
31位	新潟県	100億円
32位	徳島県	97億円
33位	福島県	95億円
34位	福井県	75億円
35位	岡山県	56億円
36位	京都府	42億円
37位	大阪府	40億円
38位	秋田県	25億円
39位	山形県	17億円
40位	岐阜県	—
40位	群馬県	—
40位	埼玉県	—
40位	滋賀県	—
40位	栃木県	—
40位	長野県	—
40位	奈良県	—
40位	山梨県	—

出典：農林水産省「漁業・養殖業生産統計」（2021年）

製造品出荷額

①位	愛知県	47兆8946億円
②位	大阪府	18兆6058億円
③位	神奈川県	17兆3752億円
4位	静岡県	17兆2905億円
5位	兵庫県	16兆5023億円
6位	埼玉県	14兆2540億円
7位	茨城県	13兆6869億円
8位	千葉県	13兆968億円
9位	三重県	11兆344億円
10位	広島県	9兆9439億円
11位	福岡県	9兆4450億円
12位	栃木県	8兆5761億円
13位	群馬県	8兆3831億円
14位	岡山県	8兆3654億円
15位	滋賀県	8兆1874億円
16位	東京都	7兆6227億円
17位	山口県	6兆6501億円
18位	長野県	6兆6464億円
19位	北海道	6兆1293億円
20位	岐阜県	6兆1159億円
21位	京都府	5兆9066億円
22位	福島県	5兆1627億円
23位	新潟県	5兆1194億円
24位	宮城県	5兆34億円
25位	愛媛県	4兆7582億円
26位	大分県	4兆7134億円
27位	富山県	3兆9045億円
28位	熊本県	3兆2234億円
29位	山形県	3兆239億円
30位	石川県	2兆8018億円
31位	香川県	2兆8014億円
32位	岩手県	2兆7133億円
33位	山梨県	2兆7111億円
34位	和歌山県	2兆4021億円
35位	福井県	2兆3953億円
36位	鹿児島県	2兆2062億円
37位	佐賀県	2兆1051億円
38位	徳島県	2兆578億円
39位	奈良県	1兆8709億円
40位	宮崎県	1兆7236億円
41位	青森県	1兆6947億円
42位	長崎県	1兆5177億円
43位	秋田県	1兆4057億円
44位	島根県	1兆2866億円
45位	鳥取県	8441億円
46位	高知県	6015億円
47位	沖縄県	4599億円

出典：総務省・経済産業省「経済構造実態調査（製造業事業所調査）」（2022年）より作成

第4章 近畿地方

三重県

都道府県基礎金額情報

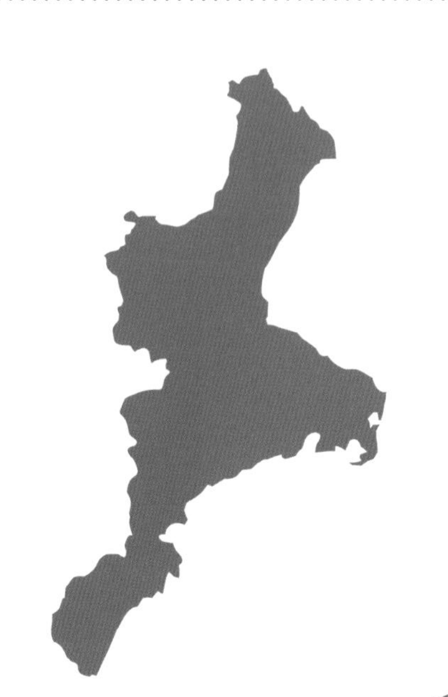

◉県内総生産（2020年度）

8兆2731億円

◉県民所得（2020年度）

5兆2195億円

◉農業産出額（2022年度）

1089億円

◉製造品出荷額等（2022年）

11兆344億円

◉小売業商品販売額（2022年）

1兆8173億円

◉財政規模（普通会計）（2021年度）

歳入（決算額）

8938億円

歳出（決算額）

8539億円

錠・かぎの年間出荷額全国1位

320億7500万円

三重県は、錠・かぎの年間出荷額が全国1位です。年間出荷額は320億7500万円で、全国シェアに占める割合は50.5%にも上ります。日本で造られている錠・かぎの約半分が三重県でつくられているわけです。その理由は、三重県には住宅の大手鍵メーカーの主要工場が数多く存在していることが挙げられます。ところが、錠・かぎの年間出荷額では第1位ではあるものの、三重県の住宅侵入検挙率は全国でワースト6位という皮肉な結果になっています。

三重県ランキング上位トピック

電子部品・デバイス・電子回路製造業出荷額
1兆7557億300万円（全国1位）

伊勢えび産出額
7億9,300万円（全国1位）

ろうそく出荷額
3億4700万円（全国2位）

真珠装身具出荷額
77億6500万円（全国2位）

日本最高級の和牛・松阪牛ブランド

5000万円

三重県といえば、特産ブランド牛の「松阪牛」が有名です。松阪牛とは、和牛の中の黒毛和種という種類の牛で、未経産の雌牛だけを育てて大きくしたもの。松阪牛という名前がついているものの、実際には松阪で生まれ育った牛ではなく、兵庫県・宮崎県・鹿児島県などから選りすぐりの子牛を松阪で育てています。これまでに1頭についた過去最高金額は、2002年に開かれた松阪牛の競り市でついた5000万円でした。

10時間耐久レースの賞金

三重県といえば、さまざまなモータースポーツのレースが開催される鈴鹿サーキットも有名です。鈴鹿サーキットは、1962年に日本初の本格的なレーシングコースとして開業、以後、日本を代表するサーキットとしてレースに使われています。鈴鹿サーキットでは、2019年に行われた「2019 第48回サマーエンデュランス『BHオークション SMBC鈴鹿10時間耐久レース』」において賞金総額1億円、総合トップに3000万円が贈られました。

伊勢志摩サミットの効果

三重県では、2016年に伊勢志摩サミットが開催されました。サミットとは主要国首脳会議の意味で、ここではアメリカを中心に7カ国が集まる「G7サミット」のことを指します。毎年各国の持ち回り制なので、伊勢志摩サミットの7年後の2023年には広島で開催されました。これまで日本では7度開催されています。サミットが開かれると、開催地の地域の知名度が高まるなどの経済効果があり、伊勢志摩サミットの場合は5650億円以上の効果があったと報告されています。

滋賀県

都道府県基礎金額情報

◉県内総生産（2020年度）

6兆7397億円

◉県民所得（2020年度）

4兆3786億円

◉農業産出額（2022年度）

602億円

◉製造品出荷額等（2022年）

8兆1874億円

◉小売業商品販売額（2022年）

1兆4079億円

◉財政規模（普通会計）（2021年度）

歳入（決算額）

7386億円

歳出（決算額）

7311億円

琵琶湖大橋の巨額の必要経費

348億8000万円

滋賀県といえば、日本最大の湖・琵琶湖があることで有名です。琵琶湖には、滋賀県大津市と守山市の間に琵琶湖大橋という橋が架かっています。琵琶湖大橋の建設費用は348億8000万円で、この建設費用は通行料によってまかなわれる計画でした。当初は、料金徴収期限は、2021年9月27日までとされていたものの、琵琶湖大橋の維持整備にかかる必要経費が60億円も増額したため、徴収期限が2034年10月22日まで延長されることになりました。

滋賀県ランキング上位トピック

医薬品製剤(医薬部外品製剤を含む)出荷額
7694億8400万円(全国1位)

コンベヤ(ベルトコンベヤ等)出荷額
1235億9800万円(全国1位)

工業窯炉出荷額
121億3500万円(全国1位)

1世帯あたり(2人以上)のコーヒー年間購入金額
1万321円(全国1位)

麻織物の年間出荷額全国1位

滋賀県は、麻織物の年間出荷額が全国1位です。2021年の年間出荷額は3億5100万円で、全国シェアに占める割合は27.4%でした。麻織物とは、亜麻織物(リネン織物)、ちょ麻織物(ラミー織物)、黄麻織物(ジュート織物)などを含む織物のことです。滋賀県の麻織物でよく知られているのは、「近江上布」です。1977年に国の伝統工芸品に指定された麻織物で、古くは江戸時代から幕府への献上品などにも選ばれていました。

日本三大和牛のひとつ・近江牛

滋賀県といえば、「近江牛」も有名です。近江牛は、三重県の松阪牛、兵庫県の神戸牛と並ぶ日本三大和牛のひとつ(近江牛の代わりに山形県の米沢牛を推す声もあります)。2023年に行われた海外バイヤー向けの競りにおいて、近江牛は史上最高額である1kgあたり1万1936円で競り落とされたことがあるほど、人気の牛肉です。きめが細かく、やわらかな肉質と、ほんのりと甘みのある脂身が人気です。

ひこにゃんの経済効果

ご当地ゆるきゃらの先駆けとされる、滋賀県彦根市の「ひこにゃん」。ひこにゃんはもともと、2007年に行われた彦根城の築城400年を祝う「国宝・彦根城築城400年祭」のPRキャラクターとして誕生しました。「国宝・彦根城築城400年祭」の経済波及効果は約338億円で、彦根市総生産の7%にもあたる金額です。すべてがひこにゃんによるものではないですが、ひこにゃんがいなければここまでの金額にはならなかったでしょう。

京都府

都道府県基礎金額情報

◉府内総生産（2020年度）

10兆1680億円

◉府民所得（2020年度）

7兆772億円

◉農業産出額（2022年度）

699億円

◉製造品出荷額等（2022年）

5兆9066億円

◉小売業商品販売額（2022年）

2兆8088億円

◉財政規模（普通会計）（2021年度）

歳入（決算額）

1兆3130億円

歳出（決算額）

1兆2987億円

和服の年間産出額全国1位

京都府は、羽織や袴、浴衣などの既製和服・帯（縫製加工されたもの）の年間産出額が全国1位です。産出額は83億円で、全国シェアに占める割合は48%にも及びます（2021年）。ちなみに、既製和服には、その他に柔道着や剣道着なども含まれます。京都府には、古くからの呉服屋が数多く存在し、歴史ある寺院、神社も多いため、他府県に比べて既製和服の生産数が多くなっているのです。

京都府ランキング 上位トピック

宗教用具出荷額
45億円（全国1位）

緑茶（仕上茶）出荷額
254億2400万円（全国2位）

線香類出荷額
39億3800万円（全国2位）

1世帯あたり（2人以上）の牛肉年間購入金額
3万4604円（全国3位）

祇園祭に国内外から人が集まる

168億4030万円

京都といえば、日本三大祭りのひとつ、祇園祭。八坂神社の祭礼である祇園祭は、毎年7月に1ヶ月間にわたって開催されるお祭りで、じつに千年以上の歴史を持っています。その経済効果は、2023年度で168億4030万円にも上ります。祭りの開催期間中は、全国のみならず、海外からも観光客が訪れます。特に、17日の前祭と24日の後祭の山鉾巡行とその宵山（前夜祭）といったイベントには、数多くの人々が集まります。

ちりめん生地の年間産出額全国1位

京都府は、絹織物のちりめん生地の年間産出額が全国1位です。産出額は2021年に28億円にも達し、全国シェアを占める割合はじつに87%でした。京都では、江戸時代に京都西陣から丹後地方にもたらされた技術を元にして「ちりめん」の技術が普及し、のちに「丹後ちりめん」が生まれました。この丹後ちりめんこそが、京都府のちりめん生地の主力となっており、主に京丹後市・京都市・与謝野町で生産されています。

半世紀ぶりの大修理

「清水の舞台」で知られる京都府の清水寺では、2008年から2020年まで「平成の大修理」が行われました。これは国宝の本堂を含め、9棟を解体、半解体して修復する工事で、総事業費は約40億円、本堂分は約20億円に上りました。修理が行われたのはじつに半世紀ぶり。今回の修理によって、本堂に並べられた絵馬の後ろから別の絵馬やお参りの際に参拝者が納めた古い巡礼札などが出てくるという思わぬ副産物もあったとのことです。

大阪府

都道府県基礎金額情報

◉府内総生産（2020年度）

39兆7203億円

◉府民所得（2020年度）

25兆76億円

◉農業産出額（2022年度）

307億円

◉製造品出荷額等（2022年）

18兆6058億円

◉小売業商品販売額（2022年）

9兆4465億円

◉財政規模（普通会計）（2021年度）

歳入（決算額）

4兆6869億円

歳出（決算額）

4兆6348億円

カネオクイズ

大阪府は、自転車の年間出荷額が全国1位ですが、それは堺がとあるもので培った鉄加工技術が理由のひとつです。それはなんでしょう。

粉もの大国・大阪の驚異の売上高

281億1300万円

大阪府のグルメといえば、やっぱり「粉もん」でしょう。大阪府は、たこ焼き・お好み焼き・焼きそば店の売上高が全国1位に輝いています。全国平均が約31億8000万円であるのに対して、大阪府はなんと281億1300万円と9倍近い差を付けています。大阪府民がどれだけ粉ものを愛しているかがうかがい知れます。ただし、人口10万人あたりのお好み焼き屋の数はそれほど多くなく、16.77件で意外にも第9位（第1位は広島で55.58件）です。

大阪府ランキング上位トピック

魔法瓶・魔法瓶ケース（ジャー、ジャーケースを含む）出荷額
94億2800万円（全国1位）

毛布出荷額
48億4800万円（全国1位）

タオル（ハンカチを除く）出荷額
122億9900万円（全国2位）

冷凍調理食品出荷額
741億8100万円（全国3位）

超高層複合商業ビル「あべのハルカス」

大阪府といえば、2014年にオープンした大阪府阿倍野区の超高層複合商業ビル「あべのハルカス」が有名です。あべのハルカスの高さは300m超、その建設費は総額1300億円にも上るといいます。2023年に約330mの「麻布台ヒルズ森JPタワー」ができるまで、あべのハルカスは、日本一の高さを誇っていました。上層には展望台があり、大阪屈指の絶景が見られるスポットとして人気です。また、美術館、百貨店、オフィス、ホテルなどが入っています。

大阪といえば、やっぱり粉もんじゃの～

チョコレートの出荷額全国1位

大阪府は、チョコレート類の年間出荷額が全国1位です。年間出荷額は1015億6200万円で、全国シェアに占める割合は19%。ただし、チョコレートを最も消費していたのは、石川県金沢市（2020～2022年平均）。大阪府は世帯あたりのチョコレート消費額では、さほど高くありません。大阪府がチョコレート類の年間出荷額が第1位になっている理由は、日本を代表するチョコレートメーカーの工場があるためです。

正解　鉄砲や包丁などの製造によって培われた堺の鉄加工技術

大阪府は、自転車の年間出荷額が全国1位です。年間出荷額は363億4700万円で、全国シェアに占める割合はなんと89%にも及びます。日本製の自転車のほとんどが大阪府でつくられていることになるのです。大阪府で自転車産業がこれほどまでに発達したかというと、古くから鉄砲や包丁などの製造によって培われた堺の鉄加工技術が明治以降に輸入された自転車と結びついた結果だと考えられています。

兵庫県

都道府県基礎金額情報

◉県内総生産（2020年度）

21兆7359億円

◉県民所得（2020年度）

15兆7751億円

◉農業産出額（2022年度）

1583億円

◉製造品出荷額等（2022年）

16兆5023億円

◉小売業商品販売額（2022年）

5兆5634億円

◉財政規模（普通会計）（2021年度）

歳入（決算額）

3兆2142億円

歳出（決算額）

3兆1785億円

阪神の「アレ」がもたらす経済効果

872億2114万円

兵庫県の阪神甲子園球場を本拠地とする野球チーム、阪神タイガース。2023年には、セ・リーグ優勝と日本一を果たしましたが、岡田彰布監督が優勝を「アレ」と表現しつづけていたことが話題になり、流行語にもなりました。関西大学の宮本勝浩名誉教授の推定では、阪神優勝によってもたらされた経済効果は、関西地域だけで872億2114万円にも上ったそうです。これはWBCの侍ジャパン優勝の経済効果、約654億円を超える効果でした。

兵庫県ランキング上位トピック

チーズ出荷額
557億4600万円（全国1位）

真珠装身具出荷額
96億1,400万円（全国1位）

清酒かす出荷額
10億1300万円（全国1位）

1世帯あたり（2人以上）の食パン年間購入金額
1万3468円（全国1位）

世界一長い吊り橋「明石海峡大橋」

兵庫県といえば、明石海峡に架かっている「明石海峡大橋」が有名。明石海峡大橋は、世界一長い吊り橋として知られています。全長は3911m、高さ298.3mで、着工は1988年5月、約10年の建設期間を経て1998年4月に開業しました。建設費は橋の建設だけで約5000億円にも上りました。明石海峡大橋は、兵庫県神戸市と同淡路市とを結んでおり、2022年度の1日平均交通量は3万9322台でした。

マーガリンの生産量全国1位

兵庫県は、マーガリンの生産量が全国1位です。年間出荷額は285億2800万円で、全国シェアに占める割合は31.1%です。また、マーガリンの消費量でも2019年度の統計では、兵庫県がトップになっています。県民ひとりあたりのマーガリン消費量は、兵庫県が1.67箱。全国平均が0.93箱であるのに対して、大きく差を付けています。じつは、兵庫県は47都道府県中屈指の「マーガリン好き」だったのです。

線香の出荷額全国1位

兵庫県は、線香の年間出荷額も全国1位です。年間出荷額は1億1680万円で、全国シェアに占める割合は51.9%。日本製の線香のじつに5割以上が、兵庫県で製造されていることになります。兵庫県の線香は、そのほとんどが淡路島でつくられており、島内の特に中部沿岸にある江井という場所に線香工場が集中しています。淡路島で線香づくりが始まったのは江戸時代の末期のことだそうです。

奈良県

都道府県基礎金額情報

◉県内総生産（2020年度）

3兆6859億円

◉県民所得（2020年度）

3兆3127億円

◉農業産出額（2022年度）

390億円

◉製造品出荷額等（2022年）

1兆8709億円

◉小売業商品販売額（2022年）

1兆816億円

◉財政規模（普通会計）（2021年度）

歳入（決算額）

6281億円

歳出（決算額）

6219億円

金魚の販売額全国1位

奈良県は金魚の養殖が盛んな県で、販売数が全国1位です。年間産出額は約6.7億円で、奈良県養殖生産額全体のうち90%を占めています。奈良県における金魚の販売数は、2019年度で6615万匹にものぼり、第2位の愛知県の654万匹に10倍近い差を付けています。特に、奈良県の大和郡山市は金魚養殖が盛んな地域であり、江戸時代中期以来約300年にもおよぶ金魚養殖の歴史を持っています。

奈良県ランキング上位トピック

かき出荷額
53億円（全国2位）

1世帯あたり（2人以上）のかき年間購入金額
1494円（全国3位）

1世帯あたり（2人以上）の卵年間購入金額
1万5124円（全国4位）

1世帯あたり（2人以上）の食パン年間購入金額
1万2752円（全国5位）

靴下の年間出荷額全国1位

奈良県は、靴下の年間出荷額も全国1位です。年間出荷額は141億200万円で、全国シェアに占める割合は55.2%。ちなみに、ストッキングなどを含めた場合でも、国内シェア約30%以上なので、奈良県は全体的に足下衣類に強いことがわかります。奈良県における靴下の生産は、明治43年に大和高田市と広陵町で始まったとされています。奈良で靴下生産が盛んになった理由は古くからある「大和木綿」の存在が大きかったようです。

莫大な予算で建造された大仏

奈良県といえば、東大寺の大仏が有名です。正式名称は、「盧遮那仏像」。奈良県奈良市にある東大寺大仏殿に安置されており、現存の大仏は、高さ約15m、顔の幅約3.2m、手の大きさ約2.5m。奈良時代の752年に開眼供養会（仏像に瞳を描き入れる行事）が行われています。大仏と大仏殿の創建時の建造費は、現在の価格に換算すると約4657億円にも及ぶとされ、大仏建立がいかに大規模な国家事業だったかがうかがえます。

鹿せんべいの売上

年間1300万人の観光客が訪れる奈良公園周辺には、約1300頭の鹿が生息しています。奈良公園ではせんべい状のえさである「鹿せんべい」以外のえさやりを禁止しており、鹿とのふれあいを求め、観光客が鹿せんべいを購入する姿が見受けられます。鹿せんべいの売上は年間約2000万枚。10枚200円のため、単純計算すると、年間で4億円の売上です。なお、1日約5kgの草を食べる鹿にとっては「おやつのようなもの」で、鹿1頭あたり1日60枚以上食べるとのことです。

和歌山県

都道府県基礎金額情報

◉県内総生産（2020年度）

3兆6251億円

◉県民所得（2020年度）

2兆5384億円

◉農業産出額（2022年度）

1108億円

◉製造品出荷額等（2022年）

2兆4021億円

◉小売業商品販売額（2022年）

9085億円

◉財政規模（普通会計）（2021年度）

歳入（決算額）

6734億円

歳出（決算額）

6436億円

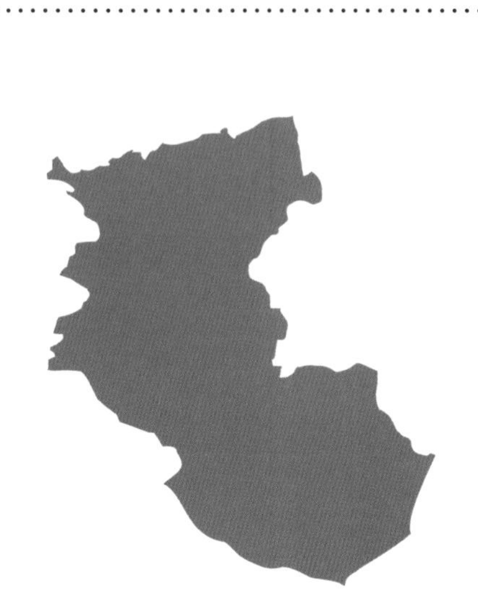

みかんの産出額全国1位

和歌山県は、8年連続でみかんの産出額が、全国1位を記録しています。2022年の産出額は、292億円で、生産量は15万2500トン。生産量に限っていえば、19年間連続第1位を獲得し続け、みかんの頂点に君臨しています。和歌山県の産出額8年連続1位を支えたのが、より糖度の高いみかんを選んで出荷する「厳選出荷」という取り組み。これによって販売単価が上がり、2位の愛媛県、3位の静岡県に差をつけたと考えられています。

和歌山県ランキング上位トピック

スターチス産出額
23億円（全国1位）
はっさく産出額
26億円（全国1位）
さやえんどう産出額
22億円（全国2位）
1世帯あたり（2人以上）のしらす干し年間購入金額
2988円（全国3位）

うめの収穫量と産出額全国1位

和歌山県は、みかんだけでなくうめの収穫量と産出額が両方とも全国1位に輝いています。2021年の産出額は約253億円で、5年連続で200億円を突破。収穫量は、2023年度が全国で約8万4600トンに対し、和歌山県だけで5万8300トンもありました。日本の60%以上のうめを和歌山県が産出していることになります。和歌山のうめは、最高級の品質で、ジュース用、梅干し用、干し梅用とさまざまな飲食物に使われています。

かきの収穫量と産出額全国1位

和歌山県は、かきの収穫量と産出額でも全国1位を記録しています。2022年の産出額は約92億円で、収穫量はなんと44年間連続で全国1位なのです。かきは、日本中の広範囲で栽培されている果実ですが、和歌山県だけで日本全国で生産されるかきの約5分の1が収穫されています。和泉山脈と紀伊山地に挟まれた気候がかきの栽培に非常に適しており、お隣の奈良県のかきの収穫量は、全国第2位となっています。

いちじくの収穫量全国1位

和歌山県は、いちじくの収穫量でも全国1位です。2021年の産出額は約12億円。和歌山県の紀の川市におけるいちじく栽培は、昭和50年頃からはじまり、みかんや米の転換作物としての人気が高まったことで、栽培面積が拡大していったといいます。みかん、かき、いちじく、いずれも全国1位を記録するほど、和歌山県は質の高いフルーツを生産できる恵まれた気候を持っているのです。

47都道府県ランキング④

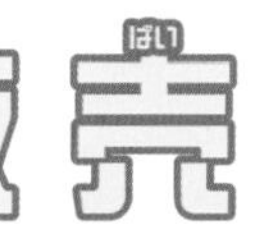

順位	都道府県	販売額
①位	東京都	166兆440億1300万円
②位	大阪府	49兆6587億5500万円
③位	愛知県	32兆6498億5000万円
4位	福岡県	16兆7969億2800万円
5位	神奈川県	14兆4134億7200万円
6位	北海道	11兆2960億1300万円
7位	埼玉県	10兆5860億7900万円
8位	兵庫県	9兆8514億7300万円
9位	宮城県	8兆6949億2000万円
10位	広島県	8兆5904億6400万円
11位	静岡県	7兆6924億6800万円
12位	千葉県	7兆1796億1700万円
13位	京都府	4兆1890億8100万円
14位	新潟県	4兆956億5600万円
15位	茨城県	3兆7433億1600万円
16位	長野県	3兆4852億9700万円
17位	岡山県	3兆3917億4600万円
18位	群馬県	3兆3852億6100万円
19位	栃木県	3兆3401億5200万円
20位	石川県	2兆6644億7200万円
21位	愛媛県	2兆5698億400万円
22位	熊本県	2兆4231億4500万円
23位	鹿児島県	2兆3828億1100万円
24位	福島県	2兆3815億8500万円
25位	岐阜県	2兆3694億1800万円
26位	香川県	2兆2994億4600万円
27位	三重県	2兆278億3600万円
28位	岩手県	1兆9922億4500万円
29位	富山県	1兆9711億5700万円
30位	青森県	1兆6974億2400万円
31位	沖縄県	1兆5963億1700万円
32位	山口県	1兆4421億9300万円
33位	長崎県	1兆4402億1300万円
34位	滋賀県	1兆4321億1400万円
35位	宮崎県	1兆3926億円
36位	山形県	1兆2601億9000万円
37位	大分県	1兆2391億2200万円
38位	和歌山県	1兆1610億4500万円
39位	福井県	1兆1328億8200万円
40位	秋田県	1兆1156億5100万円
41位	佐賀県	9514億3500万円
42位	山梨県	9076億5000万円
43位	徳島県	7775億6500万円
44位	奈良県	7752億900万円
45位	高知県	7309億6700万円
46位	島根県	7131億5500万円
47位	鳥取県	6258億1400万円

出典:「2022年経済構造実態調査」三次集計結果 産業横断調査(事業所に関する集計)(2022年)より作成

小売業商品販売額

①位　東京都　20兆4611億1400万円

②位　大阪府　9兆4464億5100万円

③位　神奈川県　8兆8168億9600万円

順位	都道府県	販売額
4位	愛知県	8兆3426億3700万円
5位	埼玉県	7兆2354億5900万円
6位	北海道	6兆6115億6300万円
7位	千葉県	6兆2202億200万円
8位	福岡県	5兆6651億7500万円
9位	兵庫県	5兆5634億700万円
10位	静岡県	3兆9499億8000万円
11位	広島県	3兆1259億6300万円
12位	茨城県	3兆137億8100万円
13位	宮城県	2兆8240億1900万円
14位	京都府	2兆8087億7700万円
15位	新潟県	2兆3368億3900万円
16位	長野県	2兆2863億9100万円
17位	栃木県	2兆2680億8500万円
18位	群馬県	2兆1715億6200万円
19位	福島県	2兆963億9700万円
20位	岡山県	2兆783億600万円
21位	岐阜県	2兆448億2100万円
22位	熊本県	1兆8398億4900万円
23位	三重県	1兆8172億8100万円
24位	鹿児島県	1兆5678億3000万円
25位	山口県	1兆5451億2000万円
26位	滋賀県	1兆4079億3200万円
27位	青森県	1兆3944億8800万円
28位	愛媛県	1兆3490億8800万円
29位	沖縄県	1兆3450億1700万円
30位	長崎県	1兆3438億8400万円
31位	岩手県	1兆2920億1100万円
32位	石川県	1兆2199億7700万円
33位	大分県	1兆1792億9200万円
34位	山形県	1兆1731億2200万円
35位	富山県	1兆1430億6300万円
36位	香川県	1兆1320億8000万円
37位	宮崎県	1兆965億2200万円
38位	奈良県	1兆815億7300万円
39位	秋田県	1兆503億7200万円
40位	和歌山県	9085億3500万円
41位	福井県	8612億8200万円
42位	山梨県	8408億2700万円
43位	佐賀県	7986億8400万円
44位	徳島県	7011億900万円
45位	高知県	6973億6900万円
46位	島根県	6586億5500万円
47位	鳥取県	5855億8700万円

出典:「2022年経済構造実態調査」三次集計結果 産業横断調査(事業所に関する集計)(2022年)より作成

①位　東京都　1113円

②位　神奈川県　1112円

③位　大阪府　1064円

順位	都道府県	金額
4位	埼玉県	1028円
5位	愛知県	1027円
6位	千葉県	1026円
7位	京都府	1008円
8位	兵庫県	1001円
9位	静岡県	984円
10位	三重県	973円
11位	広島県	970円
12位	滋賀県	967円
13位	北海道	960円
14位	栃木県	954円
15位	茨城県	953円
16位	岐阜県	950円
17位	富山県	948円
17位	長野県	948円
19位	福岡県	941円
20位	山梨県	938円
21位	奈良県	936円
22位	群馬県	935円
23位	石川県	933円
24位	岡山県	932円
25位	新潟県	931円
25位	福井県	931円
27位	和歌山県	929円
28位	山口県	928円
29位	宮城県	923円
30位	香川県	918円
31位	島根県	904円
32位	佐賀県	900円
32位	鳥取県	900円
32位	福島県	900円
32位	山形県	900円
36位	大分県	899円
37位	青森県	898円
37位	熊本県	898円
37位	長崎県	898円
40位	秋田県	897円
40位	愛媛県	897円
40位	高知県	897円
40位	宮崎県	897円
40位	鹿児島県	897円
45位	徳島県	896円
45位	沖縄県	896円
47位	岩手県	893円

出典：厚生労働省資料より作成（2023年度）

第5章 中国地方

鳥取県

都道府県基礎金額情報

◉県内総生産（2020年度）

1兆8199億円

◉県民所得（2020年度）

1兆2803億円

◉農業産出額（2022年度）

745億円

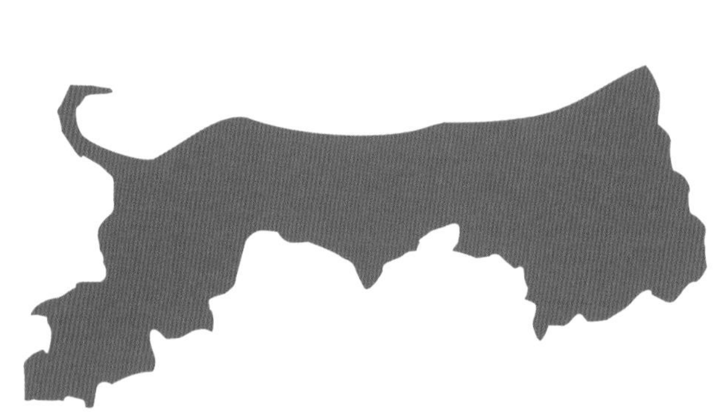

◉製造品出荷額等（2022年）

8441億円

◉小売業商品販売額（2022年）

5856億円

◉財政規模（普通会計）（2021年度）

歳入（決算額）

4041億円

歳出（決算額）

3909億円

らっきょうの産出額全国1位

18億円

鳥取県は、らっきょうの生産量が全国1位です。産出額は、18億円。鳥取県のらっきょうは、鳥取砂丘でつくられる品種があり、それらは砂丘の過酷な環境で育っているために、身が締まっており、歯ごたえがあることで知られています。砂丘で育てられたらっきょうは、玉が大きく細長い形をしており、身は普通のらっきょうよりも白いという特徴があります。

鳥取県ランキング上位トピック

ベニズワイガニ産出額
30億6300万円(全国1位)

1世帯あたり(2人以上)のなし年間購入金額
6692円(全国1位)

1世帯あたり(2人以上)のいわし年間購入金額
1017円(全国1位)

1世帯あたり(2人以上)のはくさい漬け年間購入金額
1323円(全国2位)

ハタハタ漁獲量全国1位

鳥取県は、ハタハタ(魚介類)の漁獲量が全国1位です。2022年の漁獲額は、36億1,900万円。ハタハタは、スズキ目に属する魚で、主に日本海側の地域で食されています。体長は大きくても20cm程度であり、食べ方は塩焼き、干物、みりん干し、田楽などのほか、ハタハタ汁や秋田県のしょっつる鍋のようなハタハタを使った独自の郷土料理にも使われます。鳥取県で獲れるハタハタは、卵がなく、その代わりに脂が豊富に乗っていることで知られています。

鳥取ではカレーライスにはらっきょうなんか?

かれいの年間購入額全国1位

鳥取県は、かれいの年間購入額でも全国1位です。全国平均が1世帯あたり920円であるのに対して、鳥取県はその4倍以上の3701円でした。ちなみに、鳥取県は、かれいの漁獲量でも北海道に次ぐ全国2位です。かれいは沖合底引き網によって漁獲される魚ですが、鳥取県では日常的に食卓に上がる魚というよりは、正月や祝い事などの行事の際に食べられています。鳥取で主に食されているのはアカガレイです。

鳥取砂丘 砂の美術館が大人気

鳥取県には、有名な鳥取砂丘があるほか、「鳥取砂丘 砂の美術館」という美術館があり、人気を博しています。砂の美術館は、砂像彫刻家の作品を展示する美術館で、2020年の第13期展示「チェコ&スロバキア編」は514日間開催され、経済波及効果は92億1000万円だったといいます。コロナ禍の最中でもこの数字だったので、コロナ後にはさらなる波及効果が期待されています。

島根県

都道府県基礎金額情報

◉県内総生産（2020年度）

2兆5757億円

◉県民所得（2020年度）

1兆8577億円

◉農業産出額（2022年度）

646億円

◉製造品出荷額等（2022年）

1兆2866億円

◉小売業商品販売額（2022年）

6587億円

◉財政規模（普通会計）（2021年度）

歳入（決算額）

5886億円

歳出（決算額）

5556億円

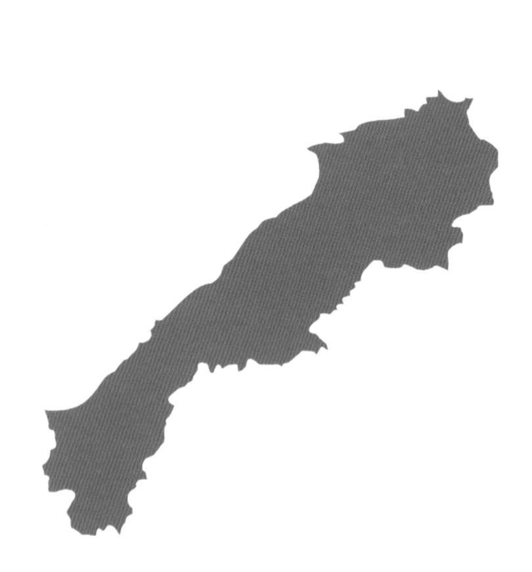

北海道・東北地方
関東地方
中部地方
近畿地方
中国地方
四国地方
九州・沖縄地方

45億5000万円

日本最大の木造ドーム「出雲ドーム」

島根県には、1992年に竣工した巨大な全天候スポーツ施設、「出雲ドーム」があります。出雲ドームは、日本最大の木造ドームで、その建設費は45億5000万円。屋根の直径は143m、高さは48.9m、収容人員5000人（グランド使用1万人）という巨大さです。2000年7月には、人工芝を敷設してリニューアルオープンしましたが、その際の施工費は3億4000万円でした。島根県の文化・スポーツ活動の拠点として愛されています。

島根県ランキング上位トピック

1世帯あたり（2人以上）のしじみ年間購入金額
1750円（全国1位）

国民年金平均支給額
5万9276円（全国3位）

1世帯あたり（2人以上）のかれい年間購入金額
1793円（全国5位）

1世帯あたり（2人以上）のなし年間購入金額
2859円（全国5位）

宍道湖のしじみ漁獲量は日本一

島根県といえば、汽水湖の宍道湖が有名です。宍道湖は、日本一のしじみの産地で、年間約7500トンの漁獲量を誇っています。生産額は約30億円にも上ります。宍道湖には、約300名のしじみ漁業者がおり、ジョレンと呼ばれる漁具を使ってしじみを漁獲するさまは、宍道湖の風物詩。しじみの主な産地は、ほかに青森県、茨城県、北海道などがあり、最近では猛暑による湖底の貧酸素化が将来のしじみ漁獲量に影響を与えるのではないかと懸念されています。

世界最大級の砂時計「砂暦」

島根県大田市には、砂をテーマにした博物館、「仁摩サンドミュージアム」があります。同博物館は、砂を使ったアート作品や、世界各地の砂などが展示されているほか、建設費1億円をかけた世界最大級の砂時計「砂暦」があることで有名です。砂暦は、1トンの砂を1年かけて落とす「1年計」。全長5.2m、直径1mというジャンボ容器の中を「鳴り砂」と呼ばれる砂が落ちていきます。

出雲大社の莫大な経済波及効果

島根県といえば、出雲大社が有名です。正式名称は「いづもおおやしろ」と言い、日本で一番古い神社建築様式「大社造」を採用していることで知られる、国宝にも指定されている神社です。出雲大社は、2013年に平成の大遷宮を執り行ったことで、非常に大きな経済波及効果を生みました。その額は、344億円。事前に試算された予想値は285億円でしたが、それを大きく上回りました。観光入込客延べ数は3674万人にも達したそうです。

岡山県

都道府県基礎金額情報

◉県内総生産（2020年度）

7兆6064億円

◉県民所得（2020年度）

5兆332億円

◉農業産出額（2022年度）

1526億円

◉製造品出荷額等（2022年）

8兆3654億円

◉小売業商品販売額（2022年）

2兆783億円

◉財政規模（普通会計）（2021年度）

歳入（決算額）

8764億円

歳出（決算額）

8579億円

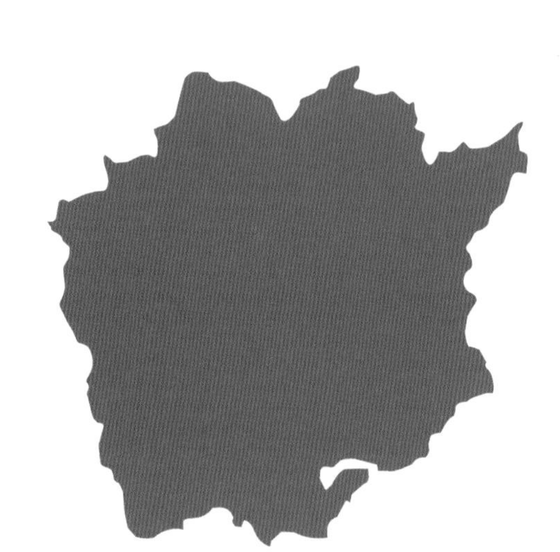

学生服の生産量全国1位

245億4900万円

岡山県は、実は学生服の生産量が全国1位です。2021年の年間出荷額は245億4900万円でした。全国シェアに占める割合は70%近くで、日本の学生が着ている学生服のほとんどが岡山県でつくられているのです。岡山県、特に倉敷市児島、玉野市などの瀬戸内海に面したエリアには、数多くの学生服メーカーの工場があり、学生服のみならず織物製事務用・作業用・衛生用衣服や、ニット製スポーツ衣服なども製造しています。

岡山県ランキング 上位トピック

耐火れんが出荷額
422億2400万円（全国1位）

畳表出荷額
51億9000万円（全国1位）

水あめ・麦芽糖出荷額
48億800万円（全国2位）

1世帯あたり（2人以上）の
ぶどう年間購入金額
4934円（全国3位）

夜には絶景になる水島コンビナート

3兆2104億400万円

岡山県には、水島コンビナート（水島臨海工業地帯）と呼ばれる工業地帯があります。同地帯には、合計で約220を超える工場が存在し、製造品出荷額等は3兆2104億400万円にも達します。水島コンビナートは、瀬戸内海に面した総面積約2500haの工業地帯。石油精製、鉄鋼、自動車などを基幹とする重化学コンビナートです。水島コンビナートの夜景は、日本の夜景100選などにも選ばれるほど息を呑む美しさです。

市民参加型のマラソンの経済波及効果

岡山県では、2015年から「おかやまマラソン」というマラソン競技会が開かれています。おかやまマラソンは市民参加型の大会で、定員は15000人。2023年に行われた大会の経済波及効果は17億円だったそうです。その内訳は、参加者の宿泊・飲食などの直接効果が10億8000万円、商店の原材料購入などによる第1次波及効果が3億4000万円、大会による雇用者の所得が増えたことによる第2次波及効果が2億8000万円だったそうです。

集成材の出荷額全国1位

岡山県は、建築などに使われる集成材の出荷額が全国1位です。2022年の年間出荷額は497億7400万円で、ヒノキの出荷量も全国第1位と、木材に強い県であることがうかがえます。岡山県が集成材に強い理由は、県内に国内最大手を含む集成材メーカーが複数存在しているため。2021年の岡山県のヒノキ丸太の生産量は約28万㎥に達し、3年ぶりに全国最多となったそうです。

広島県

都道府県基礎金額情報

◉県内総生産（2020年度）

11兆5554億円

◉県民所得（2020年度）

8兆3122億円

◉農業産出額（2022年度）

1289億円

◉製造品出荷額等（2022年）

9兆9439億円

◉小売業商品販売額（2022年）

3兆1260億円

◉財政規模（普通会計）（2021年度）

歳入（決算額）

1兆2899億円

歳出（決算額）

1兆2545億円

カネオクイズ

広島県の広島空港大橋は
あることで日本一です。
それはなんでしょう？

牡蠣生産量・産出額全国1位

広島県の食材といえば、やはり「牡蠣」が有名。牡蠣の生産量・産出額ともに広島県が全国1位に輝いています。2022年度の年間産出額は213億円にものぼり、全国シェアに占める割合は58%でした。広島湾は、島や岬に囲まれており、そのため波が穏やかであるだけでなく適度な潮の流れもあるため、牡蠣の生育と養殖筏の設置にとても適しているそうです。広島の牡蠣は殻が小さく、重量のあるずっしりとした身が詰まっていて人気です。

広島県ランキング上位トピック

船体ブロック出荷額
160億100万円（全国1位）

ウスター・中濃・濃厚ソース出荷額
136億2800万円（全国1位）

毛筆・その他の絵画用品出荷額
46億500万円（全国1位）

木製ベッド出荷額
39億3000万円（全国1位）

レモン生産量・産出額全国1位

17
億円

広島県は、レモンの生産量・産出額もともに全国1位です。2021年の年間産出額は17億円で、全国シェアに占める割合は5割以上でした。レモンの県内主要生産地は、尾道市の生口島、高根島にまたがる瀬戸田町と、大崎下島です。瀬戸田町では「瀬戸田レモン」が大崎下島では「大長レモン」が栽培されています。特に日本一の生産量を誇っているのは生口島で、瀬戸田町は街路樹にレモンが植えられているほどレモンが定着しています。

牡蠣の年間購入額全国1位

広島県は、牡蠣の生産量・産出額で全国1位であるのみならず、牡蠣の年間購入額でも全国1位です。つまり、牡蠣に関する記録はほとんど広島県が独占しているのです。全国平均が1世帯あたり750円であるのに対して、広島県は2295円と倍以上も差が開いています。やはり、牡蠣が豊富に獲れる広島では、牡蠣を使ったグルメが多く、また、地元では鮮度の高い牡蠣を食すことができるので、県民にも愛されているようです。

正解　アーチ橋としては長さが日本一

広島県には、広島空港大橋と呼ばれる大きな橋があります。これは、日本で一番大きなアーチ橋で、事業費約630億円のうち約300億円が橋の建築費に使われたといいます。橋脚高95.6mという非常に高い場所を通る橋であるため、「広島スカイアーチ」という愛称で呼ばれており、観光名所のひとつにもなっています。

都道府県基礎金額情報

◉県内総生産（2020年度）

6兆1481億円

◉県民所得（2020年度）

3兆9731億円

◉農業産出額（2022年度）

665億円

◉製造品出荷額等（2022年）

6兆6501億円

◉小売業商品販売額（2022年）

1兆5451億円

◉財政規模（普通会計）（2021年度）

歳入（決算額）

7739億円

歳出（決算額）

7355億円

従業員一人あたりの製造品出荷額等全国1位

6792.3万円

山口県は、実は従業員一人あたりの製造品出荷額等が全国1位です。2018年度のデータでは、全国平均が4146.7万円であるのに対して、山口県は6792.3万円だということです。山口県の1事業所あたりの製造品出荷額等は約38億円で、三重県や愛知県を上回っており、こちらも全国1位でした。ちなみに、これは全国平均の1.9倍ですので、山口県では従業員一人が全国平均の従業員一人よりも2倍近いお金を稼いでいるといえます。

山口県ランキング上位トピック

あんこう産出額
2億9529万円(全国1位)

1世帯あたり(2人以上)のあじ年間購入金額
2071円(全国3位)

医薬品原末・原液出荷額
487億円(全国3位)

水産練製品製造業製造品出荷額
約238億円(全国3位)

ふぐの取扱量全国1位

1万6000円

山口県の下関市といえば「ふく」が有名です。山口県の南風泊仮設市場は、ふぐの取扱量が全国1位です。2024年の初競りにおける1kgあたりの最高金額は1万6000円でした。山口県下関市は、国内有数の天然トラフグの取扱量を誇っており、1kgあたりの最安値は6000円、最高値は1万6000円もの値がつきます。初競りにかけられたのは、天然物が4.9トン、養殖物が10トンだったといいます。ちなみに下関市ではふぐのことを「ふく(福)」と呼ぶのが一般的です。

かつてはアジアーの吊り橋だった「関門橋」

山口県には、同県と福岡県をつなぐ「関門橋」があります。関門橋は山口県下関市と福岡県北九州市門司区とを結ぶ、全長1068mの吊り橋で、1973年の開通時にはアジアーの長さを誇っていました。建設費は約140億円、半世紀の経済効果は5.6兆円にもなります。関門海峡には、関門橋とは別に国道2号関門トンネルと、山陽本線関門トンネル、山陽新幹線新関門トンネルの3つの海底トンネルがあります。

日本一長い私道

山口県には日本で一番長い私道「宇部伊佐専用道路」があります。これは宇部市と美祢市を結ぶ私道で、伊佐の良質な石灰石を宇部のセメント工場に運ぶために大手総合化学メーカーが建設しました。この道路の全長は31.94kmで、総工費は200億円。1975年に全面開通してから、現在に至るまで使用されています。なお、宇部伊佐専用道路は私道のため、道路交通法や道路運送法、道路運送車両法などは適用されません。

47都道府県ランキング⑤

現金給与総額

順位	都道府県	金額
1位	東京都	48万1344円
2位	愛知県	39万5848円
3位	大阪府	38万3871円
4位	神奈川県	36万7190円
5位	栃木県	36万1034円
6位	広島県	35万8876円
7位	茨城県	35万8579円
8位	滋賀県	35万6084円
9位	徳島県	35万3415円
10位	静岡県	35万2206円
11位	福井県	35万95円
12位	三重県	34万8728円
13位	京都府	34万6517円
14位	群馬県	34万5162円
15位	兵庫県	34万4540円
16位	山口県	34万4272円
17位	山梨県	34万1276円
18位	富山県	34万1171円
19位	福岡県	34万876円
20位	長野県	34万620円
21位	福島県	33万6324円
22位	岡山県	33万5375円
23位	香川県	33万5321円
24位	岐阜県	33万4261円
25位	石川県	33万2002円
26位	和歌山県	32万5130円
27位	千葉県	32万4334円
28位	山形県	32万3676円
29位	島根県	32万2870円
30位	北海道	32万831円
31位	宮城県	31万8134円
32位	大分県	31万7356円
33位	熊本県	31万6284円
34位	岩手県	31万3844円
35位	奈良県	31万2919円
36位	新潟県	31万403円
37位	埼玉県	30万9922円
38位	愛媛県	30万3439円
39位	高知県	30万2291円
40位	佐賀県	30万160円
41位	鳥取県	29万8345円
42位	宮崎県	29万4246円
43位	長崎県	29万3076円
44位	秋田県	29万2987円
45位	鹿児島県	29万156円
46位	青森県	28万5051円
47位	沖縄県	26万9165円

出典：厚生労働省「毎月勤労統計調査地方調査　令和4年平均分結果概要」（2022年）より作成

現金給与総額〔事業所規模5人以上〕

順位	都道府県	金額
①位	東京都	42万4429円
②位	愛知県	34万8116円
③位	大阪府	33万7385円
4位	神奈川県	32万6596円
5位	広島県	32万4870円
6位	栃木県	32万719円
7位	茨城県	31万7606円
8位	滋賀県	31万2462円
9位	三重県	31万2262円
10位	静岡県	31万596円
11位	群馬県	30万8282円
12位	福岡県	30万7912円
13位	福井県	30万6114円
14位	福島県	30万4242円
15位	山口県	30万3623円
16位	兵庫県	30万2445円
17位	香川県	30万2103円
18位	富山県	30万989円
19位	長野県	29万9630円
20位	岡山県	29万8848円
21位	宮城県	29万7646円
22位	山梨県	29万7317円
23位	京都府	29万7307円
24位	石川県	29万6791円
25位	徳島県	29万6271円
26位	岐阜県	29万3537円
27位	北海道	29万3066円
28位	和歌山県	29万2932円
29位	千葉県	29万1849円
30位	山形県	29万1554円
31位	埼玉県	28万9092円
32位	岩手県	28万8978円
33位	新潟県	28万5123円
34位	愛媛県	28万4198円
35位	熊本県	28万1712円
36位	大分県	28万881円
37位	島根県	28万253円
38位	鳥取県	27万1486円
39位	秋田県	27万1091円
40位	奈良県	27万1084円
41位	宮崎県	26万7624円
42位	佐賀県	26万7380円
43位	高知県	26万7089円
44位	青森県	26万5334円
45位	長崎県	26万4913円
46位	鹿児島県	25万9835円
47位	沖縄県	25万2536円

出典：厚生労働省「毎月勤労統計調査地方調査　令和4年平均分結果概要」（2022年）より作成

順位	都道府県	地価
1位	東京都	40万4400円/㎡
2位	神奈川県	18万8400円/㎡
3位	大阪府	15万5200円/㎡
4位	埼玉県	11万9400円/㎡
5位	愛知県	11万2300円/㎡
6位	京都府	11万1900円/㎡
7位	兵庫県	11万円/㎡
8位	千葉県	8万3200円/㎡
9位	沖縄県	6万8100円/㎡
10位	福岡県	6万5800円/㎡
11位	静岡県	6万4100円/㎡
12位	広島県	5万9400円/㎡
13位	奈良県	5万2900円/㎡
14位	宮城県	4万8400円/㎡
15位	石川県	4万7900円/㎡
16位	滋賀県	4万7200円/㎡
17位	和歌山県	3万5400円/㎡
18位	愛媛県	3万4600円/㎡
19位	栃木県	3万3900円/㎡
20位	茨城県	3万3700円/㎡
21位	香川県	3万2600円/㎡
22位	岐阜県	3万1900円/㎡
23位	群馬県	3万1400円/㎡
24位	富山県	3万900円/㎡
25位	熊本県	3万600円/㎡
26位	高知県	3万500円/㎡
27位	岡山県	2万9800円/㎡
28位	福井県	2万9400円/㎡
29位	徳島県	2万9000円/㎡
30位	三重県	2万8100円/㎡
31位	鹿児島県	2万7600円/㎡
32位	大分県	2万6300円/㎡
33位	岩手県	2万6100円/㎡
34位	山口県	2万5900円/㎡
35位	新潟県	2万5800円/㎡
36位	長野県	2万5100円/㎡
36位	長崎県	2万5100円/㎡
38位	宮崎県	2万4700円/㎡
39位	福島県	2万3700円/㎡
40位	北海道	2万3600円/㎡
41位	山梨県	2万3300円/㎡
42位	佐賀県	2万1700円/㎡
43位	島根県	2万400円/㎡
44位	山形県	2万円/㎡
45位	鳥取県	1万9000円/㎡
46位	青森県	1万6100円/㎡
47位	秋田県	1万3200円/㎡

出典：国土交通省「都道府県地価調査」（2023年）より作成

第6章

四国地方

4県それぞれが
個性的じゃ

徳島県

都道府県基礎金額情報

◉県内総生産（2020年度）

3兆1852億円

◉県民所得（2020年度）

2兆1680億円

◉農業産出額（2022年度）

931億円

◉製造品出荷額等（2022年）

2兆578億円

◉小売業商品販売額（2022年）

7011億円

◉財政規模（普通会計）（2021年度）

歳入（決算額）

5866億円

歳出（決算額）

5545億円

カネオクイズ

徳島県は、すだちの生産量が全国1位ですが、なぜ徳島が日本有数のすだち産地になったのでしょう。

1050億円

渦潮を覗き込める大鳴門橋

徳島県には、徳島県鳴門市鳴門町と兵庫県あわじ市福良丙とを結ぶ「大鳴門橋」があります。大鳴門橋の総工費は1050億円で、世界三大潮流のひとつ「鳴門海峡」に発生する「渦潮」を約45mの高さから覗き込むことが可能です。橋の長さは1629m、主塔の高さは144.3mを誇り、年間通行台数は約892万台、1日あたりの平均通行台数は2万4465台にもなるといいます。

徳島県ランキング上位トピック

発光ダイオード出荷額
2527億8800万円（全国1位）

果実缶詰出荷額
48億2900万円（全国1位）

1世帯あたり（2人以上）の
ちくわ年間購入金額
3016円（全国3位）

にんじん産出額
54億円（全国3位）

生しいたけの生産量全国1位

62億9400万円

徳島県は、生しいたけの生産量でも全国1位です。2022年の生産額は62億9400万円で、生産量は約7600トンにも及びます。生しいたけの一大産地である徳島県のなかでも、神山椎茸生産販売協同組合の生産量はトップクラス。徳島県では、オガクズなどに米ぬかなどを混ぜた人工培地で生しいたけを栽培する「菌床栽培」によって、一年中栽培を行っています。徳島産の生しいたけは、肉厚で歯ごたえがあり、素焼きや鍋料理などに重宝されています。

アニメイベントで経済効果

徳島県では、アニメの祭典「マチ★アソビ」が開催されています。マチ★アソビは、2009年から行われているアニメやゲームなどを題材とする複合型エンターテインメント・イベントで、各エンターテインメント関連会社や人気声優をゲストに呼び、さまざまなイベントや展示が行われます。このイベント（Vol.19）の経済波及効果は、約7億3000万円（県内）だったそうです。同イベントの来場者数は、2018年のVol.20の開催時に8万4000人にも達しました。

正解　徳島県の温暖な気候と豊かな降水量が、すだちの栽培にとても適していたから

徳島県は、すだちの生産量が全国1位です。2020年の生産額は約19.6億円で、全国シェアに占める割合は98%と、日本のすだちのほとんどすべてが徳島県で生産されています。なぜ、徳島県が日本有数のすだち産地になったかといえば、徳島県の温暖な気候と豊かな降水量が、すだちの栽培にとても適しているからです。

香川県

都道府県基礎金額情報

◉県内総生産（2020年度）

3兆7344億円

◉県民所得（2020年度）

2兆6288億円

◉農業産出額（2022年度）

855億円

◉製造品出荷額等（2022年）

2兆8014億円

◉小売業商品販売額（2022年）

1兆1321億円

◉財政規模（普通会計）（2021年度）

歳入（決算額）

5197億円

歳出（決算額）

5055億円

生うどん・そばの年間購入金額全国1位

香川県といえば、「うどん」です。1世帯あたり（二人以上世帯）の生うどん・そばの年間支出額はもちろん全国1位。香川県の生うどん・そばの購入額は年間6384円、外食は年間1万8994円でした。2つの合計の全国平均は1万570円だったため、合計2万5378円の香川県はほかの都道府県に比べて2倍近くうどん・そばにお金を使っていることになります。やはり香川県は「うどん県」と呼ばれるだけあり、他県に圧倒的な差を付けています。

香川県ランキング上位トピック

1世帯あたり（2人以上）の乾うどん・そば年間購入金額
3627円（全国1位）

1世帯あたり（2人以上）の牡蠣年間購入金額
1515円（全国2位）

1世帯あたり（2人以上）のぶり年間購入金額
4176円（全国3位）

1世帯あたり（2人以上）の揚げかまぼこ年間購入金額
4209円（全国4位）

冷凍調理食品の出荷額全国1位

1081億
8600万円

香川県は、冷凍調理食品の出荷額が全国1位です。年間出荷額は、1081億8600万円で全国での割合は9.2%でした。香川県には、冷凍食品業界の大手メーカーが数多く存在し、そのことが出荷額を押し上げていると考えられます。特に、香川県といえば、香川県外にも多くのファンがいる冷凍讃岐うどんが売上を支えています。2021年には、香川県の冷凍食品会社の商品開発を支援するシンポジウムが開かれました。

瀬戸大橋をつくるのは大変じゃったんじゃのう〜

ギネスに登録されている橋「瀬戸大橋」

香川県には、本州の岡山県倉敷市と香川県坂出市を結ぶ「瀬戸大橋」があります。瀬戸大橋の建設費は1兆1300億円。1988年に全線が開通し、これによって史上初めて四国と本州が陸路で結ばれることになりました。瀬戸大橋は、鉄道と道路が走っており、鉄道道路併用橋としては世界最長の1万2300mの長さを誇ります。この「鉄道道路併用橋としての長さ」は、ギネス世界記録に認定されている記録です。

国内最大の手袋の産地

香川県は、国内最大の手袋の産地でもあります。衣服用ニット手袋の年間出荷額は、28億1300万円で、全国シェアに占める割合は84.6%。その年によってはシェアが90%を超える年もあるくらいですので、香川県は「うどん県」であると同時に「てぶくろ県」であると言っても過言ではないでしょう。特に、衣服用ニット手袋の一大産地である東かがわ市は、「てぶくろ市」と呼ばれているほどです。

愛媛県

都道府県基礎金額情報

◉県内総生産（2020年度）

4兆8275億円

◉県民所得（2020年度）

3兆2979億円

◉農業産出額（2022年度）

1232億円

◉製造品出荷額等（2022年）

4兆7582億円

◉小売業商品販売額（2022年）

1兆3491億円

◉財政規模（普通会計）（2021年度）

歳入（決算額）

7617億円

歳出（決算額）

7426億円

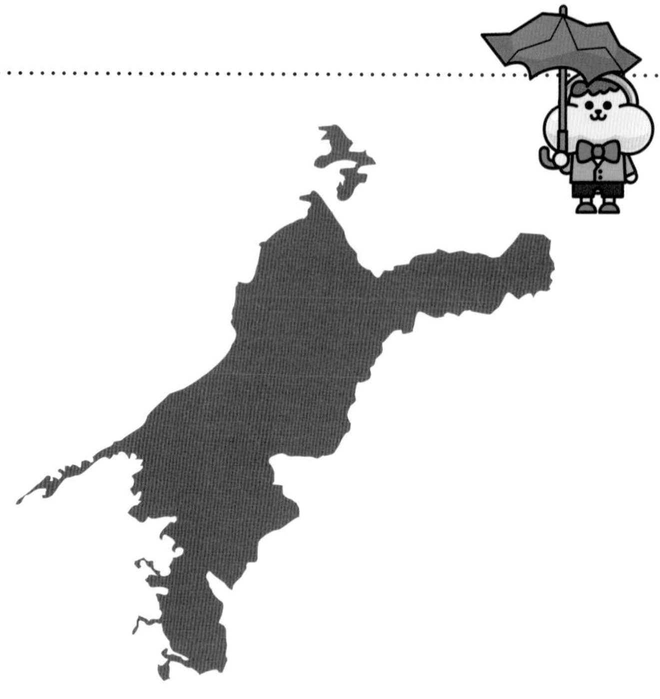

タオルの出荷額全国1位

愛媛県といえば、今治タオルが有名です。そのおかげもあって愛媛県のタオルの出荷額は年間260億9700万円で、全国シェアに占める割合はじつに57.1%にも上ります。愛媛県今治市は、約200以上のタオル関連の工場を有し、120年以上の長きにわたって日本における「タオルの聖地」として君臨してきました。今治のタオルの品質が高いわけは、同地の軟水が生地に優しく、繊細な色の表現ができ、生地を柔らかくできるからといわれています。

愛媛県ランキング上位トピック

くるまえび(天然)産出額
3億7200万円(全国1位)
養殖まだい産出額
368億8300万円(全国1位)
直販所1施設あたりの年間販売額
10億3500万円(全国2位)
養殖ぶり類産出額
168億3800万円(全国2位)

いよかんの生産量・産出額全国1位

約34億円

旧国名が伊予国の愛媛県は、「いよかん」の生産量・出荷額がもちろん全国1位です。2022年の産出額は約34億円。その他、柑橘類ではみかんの生産量も全国2位と、上位につけています。2018年のデータによると、いよかんの全国の生産量は2万8495トンで、そのうち愛媛県が2万6293トンと、90%近いシェアを愛媛県が独占していることがわかります。

障子紙、書道用紙の出荷額全国1位

愛媛県は、障子紙、書道用紙の出荷額が全国1位です。2021年の出荷額は24億3500万円で、全国シェアに占める割合は42.2%にも上ります。なぜ愛媛県の紙産業がこれだけ発達しているかというと、愛媛県の四国中央市には、和紙製造メーカーが数多く存在していることが要因です。愛媛県は、豊富な水源に恵まれているため、室町時代の昔から和紙の生産が盛んに行われてきたという歴史があるのです。

祝儀用品の出荷額全国1位

愛媛県は、「伊予水引」で知られる通り、水引などの祝儀用品の出荷額が全国1位です。年間出荷額は、51億8900万円で、全国シェアに占める割合は46.1%。水引の生産が盛んなのは、愛媛県が紙の産地として日本屈指の県だからでもあります。品質の高い紙をつくることができる愛媛県ならではの歴史ある伊予水引は、愛媛県の隠れた逸品として、祝儀袋などに重宝されています。

高知県

都道府県基礎金額情報

◉県内総生産（2020年度）

2兆3543億円

◉県民所得（2020年度）

1兆7229億円

◉農業産出額（2022年度）

1073億円

◉製造品出荷額等（2022年）

6015億円

◉小売業商品販売額（2022年）

6974億円

◉財政規模（普通会計）（2021年度）

歳入（決算額）

5436億円

歳出（決算額）

5301億円

かつおの年間購入金額全国1位

高知県のグルメといえば、「かつお」のたたきが有名です。特に、藁で表面をやいた藁焼きのたたきは藁の風味でかつおの臭みが消えて、旨味が引き立つことからとても人気です。さて、そのかつおですが、高知県の年間購入額は当然ながら全国第1位。全国平均が1世帯あたり1737円に対して、高知県は7711円と4倍近くかつおが買われています。ただし、2022年の調査ではライバルの宮崎県が初めて高知県を購入頻度と支出額で上回りました。

高知県ランキング上位トピック

しょうが産出額
82億円(全国1位)

にら産出額
95億円(全国1位)

ゆず産出額
26億円(全国1位)

1世帯あたり(2人以上)の弁当年間購入金額
2万7379円(全国2位)

1万4000人が乱舞するよさこい祭り

79億1800万円

高知市といえば、毎年8月に開催されている「よさこい祭り」が有名です。よさこい祭りは、総勢1万4000人の鳴子を持った踊り子が工夫を凝らし、約160チームに分かれて市内を乱舞するお祭り。高知市にある民間のシンクタンク「四銀地域経済研究所」が試算した2023年の経済波及効果は79億1800万円に上ったといいます。これは参加チームの減少などの影響によって前回調査よりも17億円余りも減少した数値です。

なすの収穫量全国1位

高知県は、なすの収穫量が全国1位です。2020年のなすの産出額は141億円で、全国シェアに占める割合は13.2%でした。高知県のなすのうち、96%が安芸地区で収穫されています。安芸地区では、なすの生産量ナンバー1を維持するため、病害虫対策、ナスの栄養価の発信、新品種への転換など、さまざまな取り組みを続けています。また、今後はスマート農業にも力を入れ、品質向上を続けていくとのことです。

みょうがの収穫量全国1位

高知県は、みょうがの収穫量も全国1位です。2020年のみょうがの産出額は89億円で、全国シェアに占める割合は93.4%と、日本のみょうがのほとんどすべてを高知県がつくっていることになります。年間生産量は5000トンに迫る勢いで、みょうがの作付面積でも高知県は第1位。県内の主要生産地は、須崎市、四万十町、中土佐町など。須崎市では、周年出荷(季節を問わず年間を通じた出荷)が行われています。

47都道府県ランキング⑥

1世帯あたり月平均実収入

順位	都道府県	金額
①位	埼玉県	80万4799円
②位	千葉県	70万4576円
③位	東京都	69万5496円
4位	岐阜県	69万538円
5位	石川県	68万2776円
6位	栃木県	67万8473円
7位	神奈川県	66万6560円
8位	福井県	66万3848円
9位	富山県	66万2732円
10位	奈良県	66万753円
11位	福島県	65万1337円
12位	山口県	65万1322円
13位	徳島県	64万8138円
14位	群馬県	64万2949円
15位	愛知県	63万9823円
16位	島根県	63万5926円
17位	滋賀県	63万658円
18位	香川県	62万9948円
19位	静岡県	62万8816円
20位	山形県	62万8688円
21位	茨城県	61万6855円
22位	長野県	61万6818円
23位	新潟県	61万3427円
24位	広島県	61万2143円
25位	高知県	60万7094円
26位	大分県	59万9018円
27位	京都府	59万8505円
28位	大阪府	59万2301円
29位	山梨県	58万8301円
30位	三重県	58万3109円
31位	北海道	58万1372円
32位	福岡県	57万9466円
33位	佐賀県	57万7838円
34位	鳥取県	56万5945円
35位	長崎県	55万9133円
36位	岡山県	55万5070円
37位	鹿児島県	55万2926円
38位	宮城県	55万2466円
39位	宮崎県	55万697円
40位	青森県	54万6029円
41位	秋田県	54万3860円
42位	和歌山県	54万772円
43位	兵庫県	53万4628円
44位	熊本県	53万1390円
45位	沖縄県	48万2880円
46位	愛媛県	47万3934円
47位	岩手県	30万801円

出典:『データでみる県勢2024』(矢野恒太記念会)より作成

1世帯あたり月平均消費支出

順位	都道府県	金額
1位	千葉県	35万8233円
2位	群馬県	35万5387円
3位	愛知県	35万2413円
4位	岐阜県	35万2348円
5位	東京都	35万1136円
6位	山口県	34万6099円
7位	茨城県	34万4330円
8位	埼玉県	34万2788円
9位	静岡県	34万1597円
10位	滋賀県	33万7800円
11位	新潟県	33万2103円
12位	富山県	33万808円
13位	神奈川県	33万698円
14位	栃木県	33万209円
15位	長野県	32万8353円
16位	大分県	32万7046円
17位	福島県	32万6648円
18位	奈良県	32万3792円
19位	山梨県	32万2243円
20位	高知県	32万1687円
21位	岡山県	32万1431円
22位	石川県	31万8950円
23位	香川県	31万5951円
24位	福井県	31万5597円
25位	京都府	31万3243円
26位	島根県	31万3030円
27位	長崎県	31万1716円
28位	広島県	31万1230円
29位	秋田県	31万1046円
30位	和歌山県	31万983円
31位	徳島県	30万8936円
32位	三重県	30万8219円
33位	岩手県	30万7326円
34位	兵庫県	30万6990円
35位	佐賀県	30万4526円
36位	鳥取県	30万2848円
37位	福岡県	30万1350円
38位	北海道	30万722円
39位	鹿児島県	29万8260円
40位	熊本県	29万7362円
41位	山形県	29万4104円
42位	宮城県	29万3496円
43位	宮崎県	29万2913円
44位	沖縄県	28万9775円
45位	大阪府	28万698円
46位	青森県	27万1927円
47位	愛媛県	26万8247円

出典:『データでみる県勢2024』(矢野恒太記念会)より作成

1世帯あたり貯蓄現在高

順位	都道府県	貯蓄現在高
1位	東京都	2542万円
2位	愛知県	2333万円
3位	千葉県	2207万円
4位	神奈川県	2163万円
5位	徳島県	2098万円
6位	奈良県	2047万円
7位	埼玉県	2042万円
8位	京都府	2012万円
9位	富山県	1989万円
10位	岐阜県	1955万円
11位	三重県	1927万円
12位	滋賀県	1919万円
13位	静岡県	1842万円
14位	兵庫県	1787万円
15位	茨城県	1785万円
16位	広島県	1783万円
17位	宮城県	1767万円
18位	鳥取県	1765万円
19位	福井県	1750万円
20位	長野県	1715万円
21位	秋田県	1695万円
22位	群馬県	1693万円
23位	栃木県	1681万円
24位	香川県	1662万円
25位	福島県	1642万円
26位	岡山県	1631万円
27位	山梨県	1626万円
28位	福岡県	1612万円
29位	島根県	1606万円
30位	和歌山県	1568万円
31位	新潟県	1467万円
32位	石川県	1457万円
33位	佐賀県	1396万円
34位	岩手県	1393万円
35位	北海道	1389万円
36位	大阪府	1372万円
37位	長崎県	1350万円
38位	山口県	1292万円
39位	鹿児島県	1260万円
40位	山形県	1207万円
41位	愛媛県	1190万円
42位	大分県	1152万円
43位	高知県	1135万円
44位	熊本県	1098万円
45位	宮崎県	1022万円
46位	青森県	1013万円
47位	沖縄県	734万円

出典：総務省『2020年家計調査 貯蓄・負債編』（2020年）より作成

第7章 九州・沖縄地方

福岡県

都道府県基礎金額情報

◉県内総生産（2020年度）

18兆8869億円

◉県民所得（2020年度）

13兆5049億円

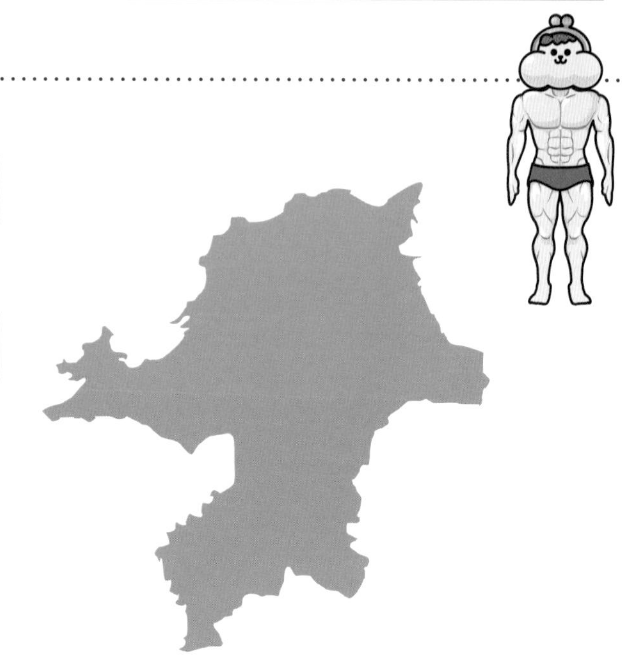

◉農業産出額（2022年度）

2021億円

◉製造品出荷額等（2022年）

9兆4450億円

◉小売業商品販売額（2022年）

5兆6652億円

◉財政規模（普通会計）（2021年度）

歳入（決算額）

2兆5282億円

歳出（決算額）

2兆4613億円

たらこの年間購入金額全国1位

福岡県のグルメといえば、誰もが思い浮かべるのが「辛子明太子」。福岡県は、たらこの年間購入額が全国1位です。2021～2023年度の調査で、全国平均が1世帯あたり2087円に対して、福岡県は2倍以上の4647円。地元を代表する名産品ですから、この結果は当然と言えば当然でしょう。ただし、たらこの購入額では福岡市が1位、北九州市が2位であるものの、年間購入量では青森市が1144gで1位、福岡市は1128gで2位になってしまいます。

福岡県ランキング上位トピック

キウイフルーツ産出額
19億円（全国1位）
庭園果樹苗木産出額
39億円（全国1位）
いちご産出額
242億円（全国2位）
塩干・塩蔵品出荷額
169億400万円（全国2位）

ホークスの本拠地・PayPayドーム

760
億円

福岡県といえば、プロ野球球団、福岡ソフトバンクホークスの本拠地でもあります。福岡県には福岡PayPayドームという、野球のみならずコンサートや展示会などさまざまな目的に使うことのできる多目的ドームがあります。PayPayドームの建設費（総事業費）は760億円で、建築面積は69130㎡、最高地点が83.96mの地上7階建てという構造を持っています。2020年2月より現在の名称になりました。

タケノコの生産量全国1位

福岡県は、タケノコの生産量が全国1位です。年間出荷額は15億500万円で、全国シェアに占める割合は約23%にもなります。第2位は鹿児島県、第3位が京都府です。4位が熊本県で、年度によっては第1位から第3位までを九州の県が独占していることもあります。福岡県のタケノコは、とりわけ北九州市小倉の合馬地区で採れるものが「合馬たけのこ」という高級ブランドとして、京都の料亭などでも使われており、その名が全国に知れ渡っています。

たんすの出荷額全国1位

福岡県は、たんすの出荷額でも全国1位を獲得しています。年間出荷額は38億6400万円で、全国シェアに占める割合はじつに31.3%。日本のたんすの約3割が福岡県でつくられていることになります。また、たんすの出荷額は、佐賀県、宮崎県などもランキング上位に入ることが多く、第1位から第3位までを九州の県が独占することもしばしば。福岡県のたんすでは、大川市でつくられている木目がとても美しい大川総桐箪笥が有名です。

佐賀県

都道府県基礎金額情報

◉県内総生産（2020年度）

3兆459億円

◉県民所得（2020年度）

2兆898億円

◉農業産出額（2022年度）

1307億円

◉製造品出荷額等（2022年）

2兆1051億円

◉小売業商品販売額（2022年）

7987億円

◉財政規模（普通会計）（2021年度）

歳入（決算額）

6091億円

歳出（決算額）

5999億円

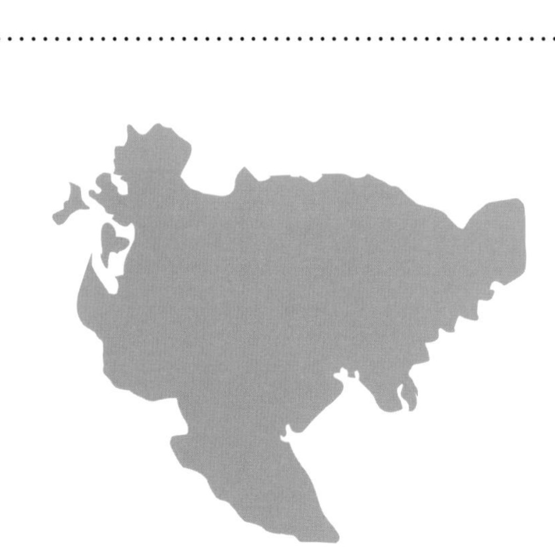

167億8600万円

のりといえば佐賀県の有明海

佐賀県には、養殖のりの一大産地である有明海があります。そのおかげで佐賀県は、養殖のりの販売額で19年連続全国1位を独占しつづけてきました。ところが、2023年、赤潮の影響で兵庫県に抜かれてしまい、久しぶりに第2位に陥落。販売枚数は9億820万枚、販売額は167億8600万円にも上りました。のりの養殖は、10月から12月の3ヶ月と、1月から3月の3ヶ月の2回に分けて行われています。なお、有明海は福岡県、佐賀県、長崎県、熊本県にまたがっています。

佐賀県ランキング上位トピック

二条大麦産出額
11億円(全国1位)
アスパラガス産出額
24億円(全国2位)
たんす出荷額
68億8000万円(全国3位)
小麦産出額
16億円(全国3位)

陶磁器製置物の出荷額全国1位

佐賀県には、有田焼(伊万里焼)という日本を代表する陶磁器が古くから存在しています。そのため、陶磁器製置物の出荷額では、全国1位を獲得しています。2022年の出荷額は、13億4600万円で、全国シェアに占める割合は37%。有田焼は、佐賀県有田町を中心に焼かれている磁器で、伊万里港から積み出しが行われていたことから「伊万里焼」とも呼ばれています。透明感のある白磁のうえに塗られた赤と藍の配色が美しい陶磁器です。

ワシもたくさんの気球を見てみたいのう～

アジア最大の熱気球大会「バルーンフェスタ」

佐賀県で開催されるアジア最大級の国際熱気球大会「バルーンフェスタ」。この大会は、佐賀県佐賀市嘉瀬川河川敷をメインの会場として、熱気球のフライト競技を行うもので、参加するバルーンは約100機にも上り、来場者は90万7000人にも達します。「2023サガインターナショナルバルーンフェスタ」は、2023年11月1日～5日まで開催され、その経済波及効果は91億1800万円にも上ったとされています。

シリコンウエハの出荷額全国1位

佐賀県は、半導体の母材となる「シリコンウエハ」の出荷額が全国1位です。2020年度の出荷額は1780億9600万円で、全国シェアに占める割合は28.9%。日本の約3割のシリコンウエハが佐賀県でつくられていることになります。その理由は、佐賀県には半導体製造に関連する企業が多数存在しているため。シリコンウエハ市場は、今後も継続的に成長していくことが見込まれており、佐賀県に大きな期待がかかっています。

長崎県

都道府県基礎金額情報

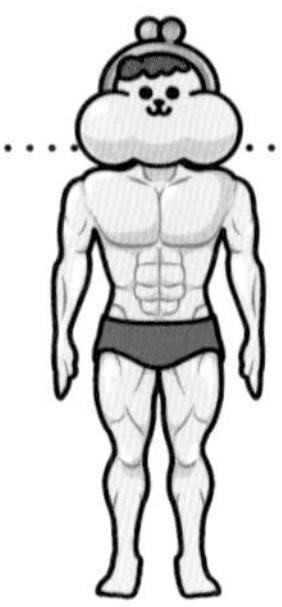

◉県内総生産（2020年度）

4兆5387億円

◉県民所得（2020年度）

3兆2589億円

◉農業産出額（2022年度）

1504億円

◉製造品出荷額等（2022年）

1兆5177億円

◉小売業商品販売額（2022年）

1兆3439億円

◉財政規模（普通会計）（2021年度）

歳入（決算額）

8350億円

歳出（決算額）

8098億円

びわの生産量全国1位

長崎県は、びわの生産量が全国1位です。産出額は2020年が9億円で、全国シェアに占める割合は34%に達しています。これは、第2位の千葉県の生産量の2倍以上もあります。ところが、びわ生産の担い手がどんどん高齢化していること、災害の被害を受けたことなどから近年は生産量が減りつつあります。長崎県でびわ生産が盛んになった理由には、長崎特有の温暖な気候と、段々畑(斜面地)が多い地形などが挙げられます。

長崎県ランキング上位トピック

1世帯あたり(2人以上)のあじ年間購入金額
2371円(全国2位)

陶磁器製和飲食器出荷額
42億7500万円(全国2位)

1世帯あたり(2人以上)のかまぼこ年間購入金額
5617円(全国3位)

ばれいしょ産出額
148億円(全国3位)

カステラの年間購入額全国1位

長崎県の名産品といえば、「カステラ」。当然のごとく、長崎県はカステラの年間購入額が全国第1位です。年間購入額は、全国平均が1世帯あたり860円であるのに対して、長崎県は5884円と約7倍ものカステラが買われています。カステラは、安土桃山時代以降のポルトガルやスペインとの貿易からもたらされたとされるお菓子ですが、ポルトガルには「カステラ」という名前のお菓子は存在していません。語源はスペインの「カスティーリャ王国」の菓子です。

日本最大規模のテーマパークのイルミネーション

長崎県の観光名所といえば、「ハウステンボス」。ハウステンボスは、長崎県佐世保市にあるテーマパークで、オランダの町並みを再現しているほか、ヨーロッパ全体の町並みをテーマとしています。敷地面積は1.52万㎡と日本最大で、千葉県にある某有名テーマパークの約1.5倍の規模を誇ります。ハウステンボスのイルミネーションも日本最大規模で、一晩にかかる電気代はなんと約9万円、電球数は1300万球です(2017年度)。

13年ぶりに真珠生産量日本一へ

長崎県は、養殖真珠の生産量が2021年に全国1位になりました。これは、農林水産省の統計によれば、長崎県が13年ぶりに真珠生産量日本一に輝いた年でもありました。真珠生産量の第2位は愛媛県、第3位が三重県となっています。長崎県の2019年度の産出額は約45億円。長崎県の主要な真珠産地は対馬・壱岐、五島列島、九十九島などで、世界的にも有名です。これらの島々のリアス海岸という地形が真珠養殖に非常に適しています。

熊本県

都道府県基礎金額情報

◉県内総生産（2020年度）

6兆1051億円

◉県民所得（2020年度）

4兆3416億円

◉農業産出額（2022年度）

3512億円

◉製造品出荷額等（2022年）

3兆2234億円

◉小売業商品販売額（2022年）

1兆8398億円

◉財政規模（普通会計）（2021年度）

歳入（決算額）

1兆469億円

歳出（決算額）

1兆28億円

半導体関連企業が莫大な経済効果を生む

熊本県には、半導体受託製造大手の台湾企業の工場が進出予定です。九州フィナンシャルグループの調査によれば、このことによる経済波及効果は10年間で6.8兆円に上ると試算しています。熊本工場の投資額は、約80億ドル(約1兆2000億円)にも上り、日本政府が補助する金額も前代未聞の最大4760億円となる見込みです。また、それ以外にも続々と国内企業が九州に半導体関連の拠点を増設することを発表しています。

熊本県ランキング上位トピック

不知火類(デコポン)産出額
84億円(全国1位)

葉たばこ産出額
58億円(全国1位)

1世帯あたり(2人以上)のマヨネーズ年間購入金額
2012円(全国1位)

ヒノキ産出額
36億6000万円(全国1位)

すいかの生産量全国1位

熊本県は、すいかの生産量が全国1位です。2022年のすいかの産出額は約114億円にも上ります。熊本県では、ほとんどのすいかはビニールハウスで栽培されており、南九州特有の温暖な気候、熊本県の火山灰質土壌などと相まって、おいしいすいかが育ちやすい条件が整っています。特に有名なのが熊本県植木町で、昼夜の寒暖差の激しい盆地地形がすいかの甘みを最大限に引き出してくれるようです。

114億円

高い経済効果を上げた「くまモン」

熊本県が生んだ全国区のゆるキャラといえば、「くまモン」。2021年にくまモンを使った商品の年間売上高は1546億円にも上りました。また、調査を開始した2011年からの累計売上高はなんと1兆1341億円にも達しています。くまモンが登場し始めた2011年には、その経済効果はわずか25億円だったのが、その2年後には449億円にも膨れ上がったといいますから、ゆるキャラがもたらす経済効果は侮れません。

今も愛される加藤清正の居城「熊本城」

熊本県の観光名所といえば、「熊本城」が特に有名です。熊本城は、豊臣秀吉の臣下であった加藤清正が改築し居城と定めた城で、通称を「銀杏城」と言い、加藤氏改易後は熊本藩細川家の居城でした。1933年には、熊本城域が史跡に、宇土櫓など13棟の建造物が国宝に指定されました。2016年の熊本地震において熊本市のみならず熊本城も甚大な被害を受けましたが、その被害総額は634億円にも上りました。

大分県

都道府県基礎金額情報

◉県内総生産（2020年度）

4兆4580億円

◉県民所得（2020年度）

2兆9264億円

◉農業産出額（2022年度）

1245億円

◉製造品出荷額等（2022年）

4兆7134億円

◉小売業商品販売額（2022年）

1兆1793億円

◉財政規模（普通会計）（2021年度）

歳入（決算額）

7632億円

歳出（決算額）

7314億円

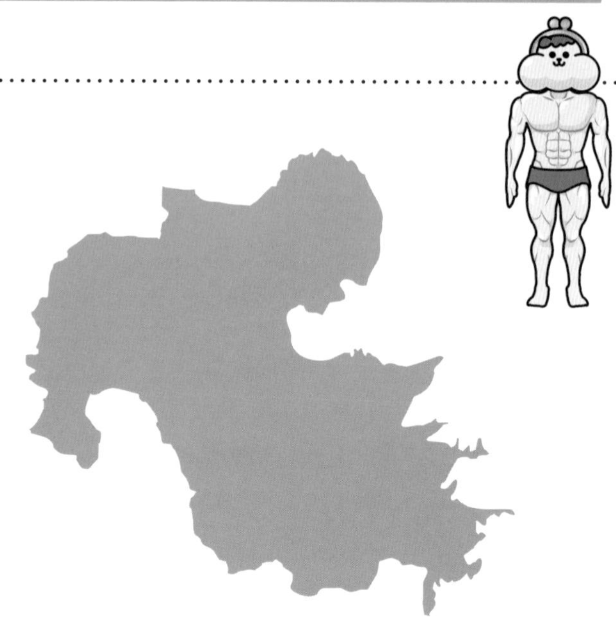

北海道・東北地方
関東地方
中部地方
近畿地方
中国地方
四国地方
九州・沖縄地方

日本一の規模を誇る温泉「別府温泉」

大分県は、日本一の源泉数と湧出量を誇る「おんせん県」です。大銀経済経営研究所がまとめた「おおいた温泉白書」によると、大分県の温泉がもたらす経済効果は1236億円にも上るとされています。大分の温泉といえば、日本一の規模を誇っているのが別府温泉です。別府温泉は、別府、鉄輪、明礬、観海寺、亀川、柴石、堀田、浜脇の「別府八湯」で構成されています。別府市の1分間の湧出量は約10万2671リットル、源泉の数は2847本にも及びます。

大分県ランキング上位トピック

ぎんなん産出額
3億円（全国1位）

ホオズキ産出額
3億円（全国1位）

スイートピー産出額
2億円（全国2位）

1世帯あたり（2人以上）の焼酎年間購入金額
1万650円（全国2位）

かぼすの生産量全国1位

大分県は、かぼすの生産量が全国第1位です。2021年度の産出額は20億円で、全国シェアに占める割合は、ほぼ100%。日本のかぼすのほぼすべてが大分県でつくられていることになります。大分県内のかぼすの主な産地は、臼杵市、竹田市、豊後大野市、国東市、豊後高田市などで、ほぼ大分の全域で栽培されています。大分のかぼすは、風味が豊かで、果汁の量が多いだけでなく質も高く、全国で料理に使われています。

かぼすは
ほぼ大分のもん
なんじゃのう～

乾しいたけの生産量全国1位

大分県は、乾しいたけの生産量も全国1位です。2020年の産出額は33億円で、全国シェアに占める割合は、約4割にも達しています。平成27年のデータでは、原木乾しいたけの全国の総生産量は2453.4トンであるのに対して、大分県の生産量は1115.1トンとかなりの割合を占めています。大分でしいたけの栽培が盛んな理由は、しいたけ栽培に必要不可欠なクヌギの木が豊富にあることが大きいといわれています。

日本一高い歩行者専用の吊り橋

大分県にある九重“夢”大吊橋は、日本一高い歩行者専用橋です。この吊り橋は、標高777mの地点に建設されており、橋の高さは173m、全長は390m。橋の上からは、日本の滝百選のひとつに数えられる「震動の滝」、新緑と紅葉の名所「九酔渓」を展望することができ、それぞれの見頃には観光客が全国から詰めかけます。建設費用（総事業費）は約20億円でした。

宮崎県

都道府県基礎金額情報

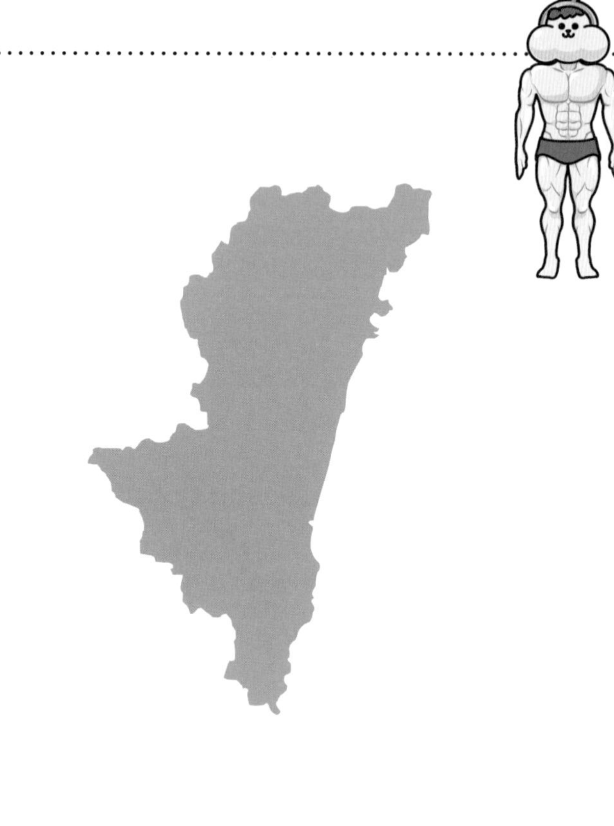

◉県内総生産（2020年度）

3兆6025億円

◉県民所得（2020年度）

2兆4483億円

◉農業産出額（2022年度）

3505億円

◉製造品出荷額等（2022年）

1兆7236億円

◉小売業商品販売額（2022年）

1兆965億円

◉財政規模（普通会計）（2021年度）

歳入（決算額）

7144億円

歳出（決算額）

6973億円

ブロイラーの年間産出額全国1位

宮崎県のグルメといえば、「チキン南蛮」が有名です。さすがチキン南蛮発祥の地というべきか、宮崎県はチキン南蛮の材料の一つである肉用若鶏（ブロイラー）の年間産出額が全国第1位となっています。2021年は、年間に739億円も産出しており、全国シェアに占める割合は約20%です。宮崎県は、ブロイラー以外にも「みやざき地頭鶏」と呼ばれる地鶏も有名で、「地鶏の炭火焼」などの地鶏を使ったさまざまな郷土料理があります。

宮崎県ランキング上位トピック

焼酎出荷額
933億円（全国1位）

冷凍野菜・果実出荷額
78億円2800万円（全国2位）

豚肉産出額
520億円（全国3位）

肉用牛産出額
826億円（全国3位）

木材の産出額全国1位

宮崎県は、木材の産出額が2021年度に初めて全国1位になりました。2021年度の産出額は321.7億円で、前年1位だった北海道を抜いてのトップ奪取となりました。宮崎県は、スギの生産量でも全国1位となっており、木材に強い県なのです。宮崎県のスギは、187万8000㎥もあり、日本全国のスギのじつに約7%を占めているほど。製材品出荷量は97万2000㎥で、日本全国の10%を占めています。

宮崎も
餃子の街
なんじゃのう

餃子の街三強時代の雄・宮崎県

餃子の街といえば、栃木県宇都宮市、静岡県浜松市などが日本一を争っているのが有名でしたが、実はここに宮崎県宮崎市も参戦しており、餃子の街は今や「三強時代」に突入しているのです。宮崎県の2022年度の餃子年間購入額は、4053円で全国1位に輝きました。これは2年連続の記録となり、宇都宮市、浜松市を抑えてのトップ奪取ということで、今後は宮崎県といえば餃子の街というイメージが浸透していくことが期待されています。

ふるさと納税寄付額全国1位

宮城県都城市は2022年のふるさと納税の寄付額で2年ぶりに全国1位となりました。2022年の寄付額は195億9300万円。都城市は畜産業など農業が盛んなほか、国内有数の焼酎メーカーがあることから、市は「肉と焼酎のまち」として都城市をPRしており、そのブランディングが功を奏したといえるでしょう。一方、2023年には一部に産地偽装が発覚したことで、寄付者らから1700件超の苦情が寄せられたとのことです。

鹿児島県

都道府県基礎金額情報

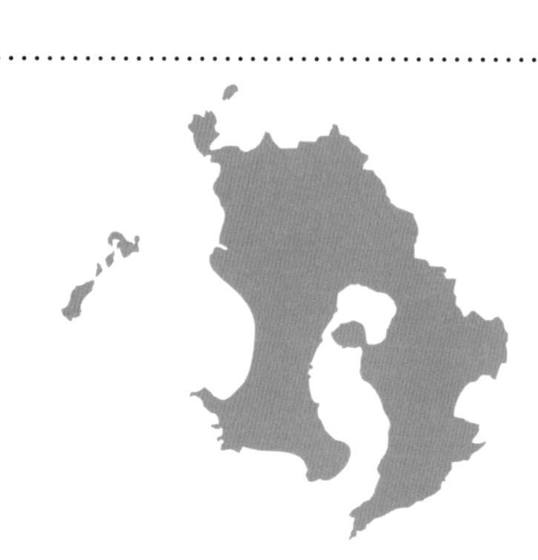

◉県内総生産（2020年度）

5兆6103億円

◉県民所得（2020年度）

3兆8247億円

◉農業産出額（2022年度）

5114億円

◉製造品出荷額等（2022年）

2兆2062億円

◉小売業商品販売額（2022年）

1兆5678億円

◉財政規模（普通会計）（2021年度）

歳入（決算額）

9904億円

歳出（決算額）

9386億円

豚の産出額全国1位

鹿児島県の名産品といえば、「黒豚」が有名です。そのおかげか、鹿児島県は豚の年間産出額が全国第1位です。2021年度の産出額は900億円で、全国シェアに占める割合は13%。鹿児島県は、豚以外にもさまざまな食肉用家畜を飼育していることで知られる「畜産県」の一つ。特に豚の飼養頭数は全国の13.9%にも上るといわれるほどです(2019年度)。鹿児島県の名産「かごしま黒豚」は、日本でもトップランクの評価を受けるブランド豚です。

鹿児島県ランキング上位トピック

ブロイラー加工品出荷額
1192億7600万円(全国1位)
荒茶出荷額
311億4100万円(全国1位)
粗糖(糖みつ・黒糖を含む)出荷額
84億9000万円(全国2位)
緑茶(仕上茶)出荷額
107億3600万円(全国3位)

肉用牛全体でも黒毛和種でも全国1位

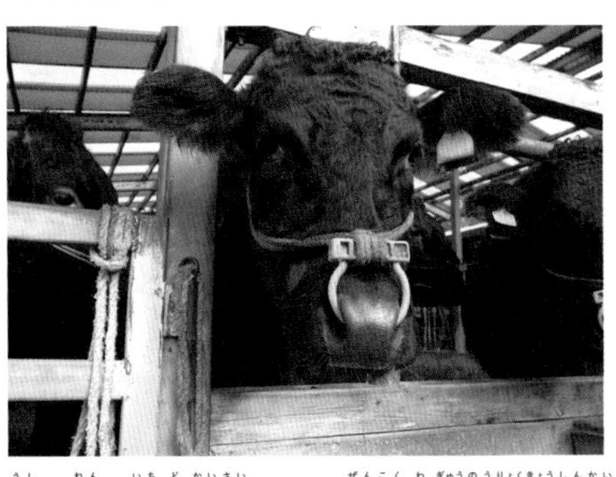

「畜産県」として知られる鹿児島県は、黒豚で有名な豚以外にも牛肉や鶏肉でも有名です。鹿児島県の牛肉といえば、鹿児島黒牛。5年に一度開催される「全国和牛能力共進会」で2大会連続で日本一を獲得した牛肉です。鹿児島県の肉用牛の年間産出額も、豚肉と同じく全国第1位。産出額は1240億円で、全国シェアに占める割合は15%です(2021年度)。また、肉用牛のなかでも特に優れた肉質の黒毛和種のシェアでも全国第1位を獲得しています。

日本最大のロケット発射場・種子島宇宙センター

鹿児島県には、JAXA(宇宙航空研究開発機構)の種子島宇宙センターがあり、さまざまなロケットや衛星の打ち上げが行われています。2023年9月7日には、日本初の月面着陸を目指す小型月着陸実証機(SLIM)とX線分光撮像衛星(XRISM)を搭載したH2Aロケット47号機の打ち上げに成功。また、2024年2月にはH3ロケット試験機2号機の打ち上げに成功しました。その総開発費は約2200億円だったといわれています。

さつまいも生産量・作付面積全国1位

鹿児島県の名産品といえば、「さつまいも」。もちろん鹿児島県はさつまいもの生産量が全国1位です。2021年度のさつまいもの産出額は14億7600万円でした。2021年度の鹿児島県の作付面積は、1万300haで、全国の作付面積が3万2400haですので、鹿児島県だけで約3割を占めていることになります。さつまいもの作付面積においても、鹿児島県は全国第1位となっています。

沖縄県

都道府県基礎金額情報

◉県内総生産（2020年度）

4兆2609億円

◉県民所得（2020年度）

3兆1799億円

◉農業産出額（2022年度）

890億円

◉製造品出荷額等（2022年）

4599億円

◉小売業商品販売額（2022年）

1兆3450億円

◉財政規模（普通会計）（2021年度）

歳入（決算額）

1兆490億円

歳出（決算額）

1兆352億円

カネオクイズ

沖縄県は、かつお節の年間購入額が全国第1位です。その理由はある郷土料理にあるともいわれています。その料理はなんでしょう？

18億円

パイナップルの生産量全国1位

沖縄県は、パイナップルの生産量が全国第1位です。年間産出額は18億円で、全国シェアに占める割合は、なんと100%です。つまり、国産のパイナップルはすべて沖縄県産だということです。県内の本島北部及び石垣島の限定された地域のみで栽培が可能です。パイナップルの糖度が高くなるのは夏の30～35度くらいの気温のときであるため、日本では平均気温の高い沖縄県でしかパイナップルを栽培することができないのです。

沖縄県ランキング上位トピック

にがうり(ゴーヤー)産出額
16億円(全国1位)

1世帯あたり(2人以上)の魚介の缶詰年間購入金額
5294円(全国1位)

1世帯あたり(2人以上)のハンバーグ年間購入金額
2380円(全国2位)

1世帯あたり(2人以上)の弁当年間購入金額
2万5938円(全国3位)

粗糖の出荷額全国1位

沖縄県は、サトウキビの栽培も盛んです。粗糖の出荷額は、全国で第1位。2022年の出荷額は、183億1000万円で、全国シェアに占める割合は61.2%にも達します。粗糖とは、砂糖の原料となるものでサトウキビとてんさい(砂糖大根)からつくることができます。また、この出荷額には糖みつ、黒糖をも含んでいます。サトウキビは、沖縄県で最も多く栽培されている農作物で、沖縄の方言では「ウージ」と呼ばれています。

マンゴーの生産量全国1位

沖縄県は、マンゴーの生産量が全国1位です。さすが南国だけあって、南国育ちの果実の生産量はダントツ。2022年度の産出額は26億円です。マンゴーの日本の生産量は約3000トンほどですが、そのうち沖縄県の生産量は1647トンほどを占めており、全国シェアの50%近くが沖縄県産ということになります。第2位以下は、宮崎県が1242トン、鹿児島県が372トンと続きます。

正解 「かちゅー湯」という かつお節と味噌に お湯を注いでつくるスープ

沖縄県は、かつお節の年間購入額が全国1位です。全国平均が1世帯あたり819円であるのに対して、沖縄県は1926円と2倍以上購入しています。かつお節の消費量は、全国平均の約5倍です。かつお節消費量が多いワケは、「かちゅー湯」にあります。かちゅー湯はかつお節と味噌にお湯を注いでつくるスープのこと。このおかげで消費量が多いのです。

〔参考文献〕

『47都道府県の歴史と地理がわかる事典』伊藤賀一／幻冬舎新書

『るるぶマンガとクイズで楽しく学ぶ！47都道府県』伊藤賀一（監修）／JTBパブリッシング

『統計から読み解く 47都道府県ランキング』久保哲朗／日東書院本社

『統計から読み解く 47都道府県ランキング 消費・子供・スポーツ編』久保哲朗／日東書院本社

『ニュースとマンガで今、一番知りたい！47都道府県』朝日新聞出版

『常識なのに！大人も答えられない都道府県のギモン 増補改訂版』村瀬哲史／宝島社

『桃太郎電鉄でわかる都道府県大図鑑 超特大増補改訂版』村瀬哲史（監修）、
株式会社コナミデジタルエンタテインメント（監修）／宝島社

『日本国勢図会2023/24年』矢野恒太記念会

『データでみる県勢2024』矢野恒太記念会

〔STAFF〕

◉ブックデザイン
クマガイグラフィックス

◉DTP
金井 毅、内藤千鶴、山下真理子（ファミリーマガジン）
吉原大二郎（グラフィカ）

◉企画・編集
九内俊彦
矢富知子

◉編集・構成
斉藤健太（ファミリーマガジン）

◉執筆協力
今井智司、佐藤裕二、嶌田美智子、山下孝子、林 賢吾、佐古京太、渡邉 亨、
野口 聖、谷津潮音（ファミリーマガジン）

◉写真協力
PIXTA

監修：**伊藤賀一**（いとう がいち）

1972年、京都府生まれ。法政大学文学部史学科卒業。東進ハイスクールを経て、現在、リクルート運営のオンライン予備校「スタディサプリ」で高校日本史・歴史総合・倫理・政治経済・現代社会・公共、中学地理・歴史・公民の9科目を担当する「日本一生徒数の多い社会科講師」。43歳で早稲田大学教育学部生涯教育学専修に一般受験で再入学、49歳で卒業。著書・監修書は『47都道府県の歴史と地理がわかる事典』（幻冬舎新書）、『改訂版 世界一おもしろい 日本史の授業』（KADOKAWA）、『ニュースの“なぜ？”は日本史に学べ』（SB新書）、『三河物語 徳川家康25の正念場』（リベラル新書）、『深読みしたい人のための 超訳 歴史書図鑑』（かんき出版）、『くわしい中学公民』（文英堂）など70冊以上、累計120万部超。

突撃！カネオくん
お金でみる都道府県データ図鑑

2024年3月29日　第１刷発行
監　修　伊藤賀一
協　力　NHK『有吉のお金発見 突撃！カネオくん』制作班

発行人　関川 誠
発行所　株式会社宝島社
〒102-8388
東京都千代田区一番町25番地
電話（営業）03-3234-4621
（編集）03-3239-0646
https://tkj.jp
印刷・製本 三松堂株式会社

ISBN 978-4-299-05317-6